#하루에_조금씩
#쑥쑥_크는
#어휘력 #사고력

똑똑한
하루 어휘

Chunjae
Makes
Chunjae

▼

[똑똑한 하루 어휘] 5단계 B

편집개발　　원명희, 김주남
디자인총괄　김희정
표지디자인　윤순미, 안채리
내지디자인　박희춘, 이혜미
일러스트　　위희경, 박종호
제작　　　　황성진, 조규영

발행일　　　2021년 12월 15일 초판　2021년 12월 15일 1쇄
발행인　　　(주)천재교육
주소　　　　서울시 금천구 가산로9길 54
신고번호　　제2001-000018호
고객센터　　1577-0902

똑똑한 하루 어휘

총 14권

한글

예비초등 A   예비초등 B

예비초등

*권장 대상: 5~7세 예비 초등
한글을 배우는 아동

- 자음자, 모음자, 받침 등 한글 기초 교재
- 붙임 딱지를 붙이며 한글의 짜임을 이해
- 한글을 익히며 자연스럽게 어휘력 키우기

맞춤법 + 받아쓰기

1단계 A, B / 2권

2단계 A, B / 2권

1~2단계

*권장 대상: 초등 1학년 ~ 초등 2학년
한글에 익숙한 예비 초등

- 어휘로 공부하는 받아쓰기 교재
- 소리와 글자가 다른 낱말 집중 학습
- QR을 이용한 실전 받아쓰기

3단계 A, B / 2권

4단계 A, B / 2권

3~4단계

*권장 대상: 초등 3학년 ~ 초등 4학년
어휘력이 필요한 초등 2학년

- 마인드맵, 꼬리물기 어휘 학습
- 주제 어휘, 알쏭 어휘, 교과 어휘, 한자 어휘 중심
- 어휘의 관계를 중심으로 말의 감각을 키워 주는 어휘 전문 교재

5단계 A, B / 2권

6단계 A, B / 2권

5~6단계

*권장 대상: 초등 5학년 ~ 초등 6학년
어휘력이 필요한 초등 4학년

- 해시태그(#) 유사 어휘 퀴즈 학습
- 생활 어휘, 교과 어휘, 한자 어휘 중심
- 속담, 관용어, 사자성어를 중심으로 어휘의 폭을 넓혀 주는, 고학년 어휘 전문 교재

똑똑한 하루 어휘

5단계 B 스케줄표

1주

5 일 78~83쪽 ☐	4 일 72~77쪽 ☐	3 일 66~71쪽 ☐	2 일 60~65쪽 ☐
사회〉고조선	**생활〉감정**	**과학〉영양분**	**생활〉걸음**
환인 / 환웅	무안하다 / 심란하다	양식 / 섭취	헛걸음 / 제자리걸음
단군왕검 / 박혁거세	원망 / 실망	영양소 / 열량	재다 / 굼뜨다
토테미즘 / 샤머니즘	인내심 / 의구심	번식 / 번영	성큼성큼 / 어기적어기적
농경 사회 / 수렵 채집 사회	기껍다 / 멋쩍다	발효 / 부패	보행 / 보폭

2주 마무리 84~91쪽 ☐
•누구나 100점 TEST •2주 특강

틀린 문제는 다시 한 번 살펴볼까?

3주

1 일 92~101쪽 ☐
국어〉설명
비교 / 대조
정의 / 예시
분류 / 분석
요점 / 개요

4주 마무리 166~171쪽 ☐	5 일 160~165쪽 ☐	4 일 154~159쪽 ☐	3 일 148~153쪽 ☐
•누구나 100점 TEST •4주 특강	**사회〉관계**	**생활〉바람**	**과학〉환경 오염**
	공정하다 / 부당하다	신바람 / 콧바람	오수 / 폐수
	본인 / 타인	나부끼다 / 일렁이다	스모그 / 산성비
	탓 / 덕	황소바람 / 하늬바람	황사 / 미세 먼지
	호의 / 악의	계절풍 / 무역풍	농약 / 비료

공부했으면 빈칸에 체크 ✔해 줘!

1 일 8~17쪽 ☐	2 일 18~23쪽 ☐	3 일 24~29쪽 ☐	4 일 30~35쪽 ☐
국어＞소설	**생활＞날씨**	**과학＞습도**	**생활＞옷**
장소 / 배경	무더위 / 열대야	습기 / 습도	윗옷 / 웃옷
사건 / 갈등	태풍 / 홍수	안개 / 서리	해어지다 / 깁다
실마리 / 추론	폭염 / 폭설	수증기 / 김	깃 / 소매
복선 / 결말	여우비 / 장대비	응결 / 기화	고름 / 대님

5 일 36~41쪽 ☐

사회＞변화

발명 / 발견
산업 혁명 / 사회 운동
정보화 / 세계화
공동체 / 지역 이기주의

1 일 50~59쪽 ☐

국어＞낱말

단일어 / 복합어
어근 / 접사
주어 / 서술어
동사 / 형용사

1주 마무리 42~49쪽 ☐

• 누구나 100점 TEST
• 1주 특강

계획대로만 하면 금방 끝날 거야.

2주

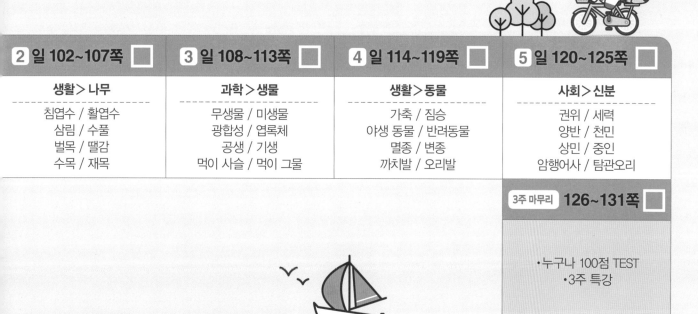

2 일 102~107쪽 ☐	3 일 108~113쪽 ☐	4 일 114~119쪽 ☐	5 일 120~125쪽 ☐
생활＞나무	**과학＞생물**	**생활＞동물**	**사회＞신분**
침엽수 / 활엽수	무생물 / 미생물	가축 / 짐승	권위 / 세력
삼림 / 수풀	광합성 / 엽록체	야생 동물 / 반려동물	양반 / 천민
벌목 / 땔감	공생 / 기생	멸종 / 변종	상민 / 중인
수목 / 재목	먹이 사슬 / 먹이 그물	까치발 / 오리발	암행어사 / 탐관오리

3주 마무리 126~131쪽 ☐

• 누구나 100점 TEST
• 3주 특강

2 일 142~147쪽 ☐	1 일 132~141쪽 ☐
생활＞자연	**국어＞대화**
햇볕 / 그늘	말투 / 표정
대기 / 토양	신뢰 / 공감
밀물 / 썰물	조언 / 충고
시내 / 호수	제안 / 간섭

4주

똑 똑 한
하루 어휘

어떤 책인가요?

어휘력
탄탄한 어휘 실력을 다지는 교재
- 쉽고 재미있게 말의 뜻 이해
- 바르고 정확한 어휘를 배우는 교재

말의 감각
말의 감각을 키우는 교재
- 어휘 구조에 대한 이해력 향상
- 유사 어휘를 비교하며 말의 감각을 길러 주는 교재

어휘 탐구
어휘의 확장성을 풍부하게 해 주는 교재
- 다양한 속담, 관용어, 사자성어 수록
- 문맥 속 어휘 활용력을 향상시켜 주는 교재

똑 똑 한

하루
어휘

단계

NEW!

5

단계

B

5~6학년

160여 개의 어휘를 공부해요!

하루하루 공부할 어휘와 차례

1주

1일	국어 〉 소설	• 장소 / 배경 • 사건 / 갈등 • 실마리 / 추론 • 복선 / 결말 •동에 번쩍 서에 번쩍 / 콩 심은 데 콩 나고 팥 심은 데 팥 난다 •실마리를 잡다 / 꼬리를 드러내다	12쪽
2일	생활 〉 날씨	•무더위 / 열대야 • 태풍 / 홍수 • 폭염 / 폭설 • 여우비 / 장대비 •마른하늘에 날벼락 / 비 온 뒤에 땅이 굳어진다 •천고마비 / 설상가상	18쪽
3일	과학 〉 습도	•습기 / 습도 • 안개 / 서리 • 수증기 / 김 • 응결 / 기화 •김 안 나는 숭늉이 더 뜨겁다 / 풀 끝의 이슬 •김이 식다 / 서리가 앉다(내리다)	24쪽
4일	생활 〉 옷	•윗옷 / 웃옷 • 해어지다 / 깁다 • 깃 / 소매 •고름 / 대님 •옷깃만 스쳐도 인연이라 / 같은 값이면 다홍치마 •호의호식 / 금의환향	30쪽
5일	사회 〉 변화	•발명 / 발견 • 산업 혁명 / 사회 운동 • 정보화 / 세계화 • 공동체 / 지역 이기주의 •십 년이면 강산도 변한다 / 하늘을 보아야 별을 따지 •격세지감 / 박학다식	36쪽
마무리		누구나 100점 TEST / 특강 (명언 플러스 / 사고 쑥쑥, 논리 탄탄)	42쪽

2주

1일	국어 〉 낱말	•단일어 / 복합어 •어근 / 접사 • 주어 / 서술어 • 동사 / 형용사 •뛰어야 벼룩 / 손바닥으로 하늘 가리기 •일손을 떼다 / 맨발 벗고 나서다	54쪽
2일	생활 〉 걸음	•헛걸음 / 제자리걸음 •재다 / 굼뜨다 •성큼성큼 / 어기적어기적 •보행 / 보폭 •천 리 길도 한 걸음부터 / 고양이 앞에 쥐걸음 •등고자비 / 장족지세	60쪽
3일	과학 〉 영양분	•양식 / 섭취 • 영양소 / 열량 • 번식 / 번영 • 발효 / 부패 •금강산도 식후경 / 썩어도 준치 •밥 먹듯 하다 / 새끼를 치다	66쪽
4일	생활 〉 감정	•무안하다 / 심란하다 • 원망 / 실망 • 인내심 / 의구심 • 기껍다 / 멋쩍다 •지렁이도 밟으면 꿈틀한다 / 참는 자에게 복이 있다 •희로애락 / 일희일비	72쪽
5일	사회 〉 고조선	•환인 / 환웅 • 단군왕검 / 박혁거세 • 토테미즘 / 샤머니즘 • 수렵 채집 사회 / 농경 사회 •다 된 농사에 낫 들고 덤빈다 / 선무당이 사람 잡는다 •홍익인간 / 제정일치	78쪽
마무리		누구나 100점 TEST / 특강 (명언 플러스 / 사고 쑥쑥, 논리 탄탄)	84쪽

똑똑한 하루 어휘 ★ 5단계 B ★

하루에 배우는 대표적인 어휘를 차례대로 정리했어요.
똑똑한 하루 어휘 5단계 B에서는 차례에 나온 어휘를 포함해서
총 160여 개의 어휘와 속담 등을 공부해요!
(172쪽 어휘 모음 참고)

3주

1일	국어 〉 설명	• 비교 / 대조 • 정의 / 예시 • 분류 / 분석 • 요점 / 개요 • 말이 말을 만든다 / 말이 씨가 된다 • 거두절미 / 금시초문	96쪽
2일	생활 〉 나무	• 침엽수 / 활엽수 • 산림 / 수풀 • 벌목 / 땔감 • 수목 / 재목 • 열 번 찍어 아니 넘어가는 나무 없다 / 될성부른 나무는 떡잎부터 알아본다 • 파죽지세 / 독야청청	102쪽
3일	과학 〉 생물	• 무생물 / 미생물 • 광합성 / 엽록체 • 공생 / 기생 • 먹이 사슬 / 먹이 그물 • 구렁이 담 넘어가듯 / 벼룩의 간을 내먹는다 • 형설지공 / 수어지교	108쪽
4일	생활 〉 동물	• 가축 / 짐승 • 야생 동물 / 반려동물 • 멸종 / 변종 • 까치발 / 오리발 • 닭 잡아먹고 오리 발 내놓기 / 고양이한테 생선을 맡기다 • 호시탐탐 / 일석이조	114쪽
5일	사회 〉 신분	• 권위 / 세력 • 양반 / 천민 • 상민 / 중인 • 암행어사 / 탐관오리 • 사또 덕분에 나팔 분다 / 평안 감사도 저 싫으면 그만이다 • 호가호위 / 삼고초려	120쪽
마무리		**누구나 100점 TEST / 특강** (관용어 플러스 / 사고 쑥쑥)	126쪽

4주

1일	국어 〉 대화	• 말투 / 표정 • 신뢰 / 공감 • 조언 / 충고 • 제안 / 간섭 • 가는 말이 고와야 오는 말이 곱다 / 가루는 칠수록 고와지고 말은 할수록 거칠어진다 • 이구동성 / 청산유수	136쪽
2일	생활 〉 자연	• 햇볕 / 그늘 • 대기 / 토양 • 밀물 / 썰물 • 시내 / 호수 • 하늘의 별 따기 / 산엘 가야 꿩을 잡고 바다엘 가야 고기를 잡는다 • 산천초목 / 청풍명월	142쪽
3일	과학 〉 환경 오염	• 오수 / 폐수 • 스모그 / 산성비 • 황사 / 미세 먼지 • 농약 / 비료 • 강물도 쓰면 준다 / 미꾸라지 한 마리가 온 웅덩이를 흐려 놓는다 • 무위자연 / 천석고황	148쪽
4일	생활 〉 바람	• 신바람 / 콧바람 • 나부끼다 / 일렁이다 • 황소바람 / 하늬바람 • 계절풍 / 무역풍 • 마파람에 게 눈 감추듯 / 바람 앞의 등불 • 마이동풍 / 질풍노도	154쪽
5일	사회 〉 관계	• 공정하다 / 부당하다 • 본인 / 타인 • 탓 / 덕 • 호의 / 악의 • 잘되면 제 탓 못되면 조상 탓 / 자기 배 부르면 남의 배 고픈 줄 모른다 • 관포지교 / 견원지간	160쪽
마무리		**누구나 100점 TEST / 특강** (관용어 플러스 / 논리 탄탄)	166쪽

어휘 공부, 무엇이 중요할까?

'차이'와 '차별'은 어떤 차이가 있을까?
'다른 것'과 '틀린 것'은 어떻게 구분할까?
'주식', '간식', '별식'의 기준은 무엇일까?

우리말을 아무런 불편 없이 사용하고 있지만 위와 같은 질문에 정확하게 대답하기는 쉽지 않아요. 입으로는 어휘를 구사하지만 어휘에 대한 정확한 감각이 숙련되어 있지 않기 때문이에요. '차별'은 '차이'를 이유로 '다르게 대하는 것'이에요. 이것을 이해하면 '차이'는 단지 '다름'을 뜻하지만 '차별'은 사람과의 관계나 대상과 대상 사이에서 일어나는 어떤 현상을 말하는 것임을 알 수 있어요.

똑똑한 하루 어휘 5·6단계 어휘 이해 과정

💡 의미 구분을 통해 어휘의 감각 키우기
'차이'와 '차별'은 어떤 차이가 있을까?

🐰 차이 ☐ / 차별 ☐

그림에서 제시하는 상황은
차이일까? 차별일까?

이어지는 해시태그를 보니
#구별 #다르게_대우 #싫어요 #남녀○○
아하! 이건 '차별'이로군!

어휘에 대한 감각, 어떻게 키워야 할까요?

어휘의 사전적인 정확한 정의는 몰라도 다른 낱말과의 관계나 사용 예를 통해서 그 뜻을 보다 정확히 이해하고 구분 짓는, 말에 대한 추리력이 어휘에 대한 감각이에요.

어휘에 대한 감각을 키우려면 그 어휘에 대해 보다 깊이 이해하고자 하는 탐구심과 호기심이 있어야 해요. 일상에서 흔히 쓰는 말이라도 다른 어휘와의 관계를 통해 그 뜻을 정확히 구분지어 보려는 의지가 있어야 어휘에 대한 감각이 자라요.

똑똑한 하루 어휘 5, 6단계는 고학년 학생들의 어휘 감각을 길러 주기 위해 유사 어휘와 속담, 관용어, 사자성어를 중심으로 구성하였어요. 어휘의 차이, 어휘의 숨은 의미에 대해 퀴즈를 풀고, 만화처럼 읽다 보면 나도 모르게 어휘에 대한 감각이 차곡차곡 쌓일 거예요.

💡 속뜻을 찾으며 어휘의 감각 키우기

'작심삼일'은 무슨 말일까?

어떤 어휘를 배우나요?

똑똑한 하루 어휘 5,6단계는 크게 네 가지 성격의 어휘를 배워요.
말의 차이를 배우면서 어휘에 대한 감각을 키워 주는 유사 어휘, 어휘의 숨은 의미를 찾아보는 속담, 의미가
확장되어 쓰이는 관용어, 한자어에 대한 이해를 도와줄 사자성어까지!
해시태그 퀴즈와 재미있는 만화가 여러분의 어휘 공부를 재미있게 도와줄 거예요!

의미 차이를 알면 어휘에 대한 감각이 늘어요!

발명 / 발견

로봇 청소기 발명한 사람을 무찌르러 가자.

- 말의 재미를 붙여 주는 어휘 학습
- 어휘 해시태그를 통해 어휘의 의미 짐작하기
- 자주 쓰지만 정확히 모르는 어휘 배우기

관용어를 통해 의미 확장에 대한 감각을 키워요!

서리가 앉다(내리다)

할아버지 머리가 하얘.

할아버지도 내 상추처럼 서리 내렸다.

- 배운 어휘가 들어간 관용어 익히기
- 어휘와 관용어의 관계 이해하기

유사 어휘

관용어

똑똑한 하루 어휘를 함께할 친구들

먼지 외계인

우주여행을 하다가 지구에 불시착한
먼지족들이에요. 전기를 먹고 사는데
지구에 와서 건전지 맛을 본 뒤, 아예
지구를 정복하기로 마음먹었어요.
가장 무서워하는 것은 남주 엄마의
청소기라네요.

남주

여주

먼지 외계인

재미있는 속담을 통해 어휘 활용의 감각을 키워요!

콩 심은 데 콩 나고 팥 심은 데 팥 난다

속담

- 어휘가 갖는 비유, 상징 배우기
- 속담에 쓰인 고유어 알기
- 속담 활용 예를 통해 자연스러운 어휘 구사 익히기

사자성어를 통해 한자어에 대한 감각을 키워요!

금의환향

사자성어

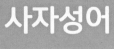

- 한자와 어휘의 관계 이해하기
- 비슷한 사자성어의 의미 구분하기
- 적절한 사자성어 활용하기

1일 국어 > 소설

장소 / 배경
사건 / 갈등
실마리 / 추론
복선 / 결말

속담 동에 번쩍 서에 번쩍 / 콩 심은 데 콩 나고 팥 심은 데 팥 난다
관용어 실마리를 잡다 / 꼬리를 드러내다

2일 생활 > 날씨

무더위 / 열대야
태풍 / 홍수
폭염 / 폭설
여우비 / 장대비

속담 마른하늘에 날벼락 / 비 온 뒤에 땅이 굳어진다
사자성어 천고마비 / 설상가상

3일 과학 > 습도

습기 / 습도
안개 / 서리
수증기 / 김
응결 / 기화

속담 김 안 나는 숭늉이 더 뜨겁다 / 풀 끝의 이슬
관용어 김이 식다 / 서리가 앉다(내리다)

4일 생활 > 옷

윗옷 / 웃옷
해어지다 / 깁다
깃 / 소매
고름 / 대님

속담 옷깃만 스쳐도 인연이라 / 같은 값이면 다홍치마

사자성어 호의호식 / 금의환향

5일 사회 > 변화

발명 / 발견
산업 혁명 / 사회 운동
정보화 / 세계화
공동체
/ 지역 이기주의

속담 십 년이면 강산도 변한다 / 하늘을 보아야 별을 따지

사자성어 격세지감 / 박학다식

 명언 플러스

'실패는 성공의 어머니'는
무슨 뜻일까?

수증기

———

김

*수증기는 눈에 보이지 않아.

'수증기'와 '김'은 어떻게 다를까?

1 다음 전기 주전자로 물을 끓이는 모습을 보고 알맞게 말한 것은?

(   )

① 주둥이에서 나오는 하얀 것은 수증기야.

③ 물을 끓일 때 김이 나와.

② 주둥이에서 나오는 하얀 것은 기체 상태야.

윗옷

———

웃옷

*옷을 위에 입으면 윗옷, 맨 겉에 입으면 웃옷

'윗옷'과 '웃옷'의 기준은 무엇일까?

그렇게 입고 나가면 추울 텐데. 웃옷 이라도 입고 와.

위에 한복 저고리를 입다니!

2 보기 에서 '윗옷', '웃옷'과 관계있는 옷을 각각 나누어 쓰시오.

보기

긴 코트   셔츠
저고리   블라우스

윗옷	웃옷
(1)	(2)

발명
발견

*콜럼버스가 아메리카 대륙에 간 것은 발명이 아니라 발견

'발명'하는 것과 '발견'하는 것은 무엇일까?

3 밑줄 그은 '발견'이 가장 어울리는 문장은? (   )

① 에디슨은 백열전구를 <u>발견</u>했다.

② 공사장에서 선사 시대의 유물이 많이 <u>발견</u>되었다.

③ 고려 시대에 <u>발견</u>한 금속 활자는 세계적으로 알려졌다.

하늘을 보아야 별을 따지

*어떤 일을 이루려면 노력을 해야지.

왜 '하늘을 보아야 별을 따지'라고 하였을까?

4 다음 중 '하늘을 보아야 별을 따지'라는 속담에 어울리는 행동을 한 사람은?

(   )

#소설

Q. 그림과 이어지는 해시태그(#)를 보고 알맞은 어휘를 골라 □에 V표 하시오.

① 장소 □ / 배경 □

#소설 #언제 #어디에서
#분위기_파악_좀_해

② 사건 □ / 갈등 □

#소설 #의견 #대립 #긴장감
#복잡하고_복잡해

③ 실마리 □ / 추론 □

#소설 #아는_것을_바탕으로 #모르는_것
#미루어_짐작하기

④ 복선 □ / 결말 □

#소설 #미래의_사건 #넌지시_알려_줄게

정답 ① 배경 ② 갈등 ③ 추론 ④ 복선

①

장소

어떤 일이 이루어지거나 일어나는 곳.

㉠ 사건이 일어나는 장소는 어디이지?

배경

사건이 일어나는 시간과 장소. 또는 사회적인 분위기.

㉠ 홍길동전의 시대적 배경은 신분 차별이 있던 때이다.

배경의 역할
현실성을 줌.
분위기를 만듦.
인물의 마음이나 사건을 알려 줌.
주제를 나타냄.

②

사건

인물들이 겪거나 벌이는 일.

㉠ 흥부가 다친 제비를 도와주는 사건이 생겼다.

갈등

서로의 생각이나 처지 등이 달라서 맞부딪치는 것.

㉠ 흥부와 갈등하는 인물은 놀부이다.

갈등
- 외적 갈등
  - 개인과 운명의 갈등
  - 개인과 사회의 갈등
- 내적 갈등
  - 개인과 개인의 갈등

③

실마리

일이나 사건을 풀어 나갈 수 있는 첫머리.　유의어　단서

㉠ 실마리는 사건을 파악하는 데 중요한 역할을 한다.

추론

이미 아는 정보를 근거로 삼아 다른 판단을 이끌어 내는 것.

㉠ 정보와 지식을 바탕으로 추론하는 것이 좋다.

실마리를 바탕으로 추론을 하는 거야.

④

복선

앞으로 일어날 사건에 대하여 실마리가 되는 것을 넌지시 알려 주는 것.

㉠ 인물의 대화에 복선이 나타나 있다.

결말

갈등이 없어지고 문제가 해결되는 소설의 마지막 단계.

㉠ 홍길동전의 결말에서 홍길동은 율도국의 왕이 된다.

베짱이가 여름에 놀기만 하는 것은 겨울에 먹을 것이 없게 된다는 것의 복선이야.

#소설 #속담

Q. 그림과 이어지는 해시태그(#)를 보고 알맞은 속담을 골라 ☐에 V표 하시오.

🐰 동에 번쩍 서에 번쩍 ☐ / 콩 심은 데 콩 나고 팥 심은 데 팥 난다 ☐

#소설 #원인과_결과 #원인에_따라_결과가_생기는_거야

동에 번쩍 서에 번쩍

정한 곳이 없고 머물거나 떠난 것을 알 수 없을 만큼 왔다 갔다 함을 이르는 말.

예 소방대가 동에 번쩍 서에 번쩍 활약을 한다.

콩 심은 데 콩 나고 팥 심은 데 팥 난다

모든 일은 근본(원인)에 따라 거기에 걸맞은 결과가 나타난다는 말. 자식이 부모를 닮았을 때에도 쓰는 속담임.

정답 콩 심은 데 콩 나고 팥 심은 데 팥 난다

Q. 그림과 이어지는 해시태그(#)를 보고 알맞은 관용어를 골라 ☐에 V표 하시오.

실마리를 잡다 ☐ / 꼬리를 드러내다 ☐

누가 청소기를 이렇게 했지? 음, 청소기 주변에 떨어진 먼지를 보니 알겠군!

우리라는 것을 짐작한 것 같지?

♡ ◯ ◁

#소설 #실의_첫머리 #엉킴 #풀기_시작해_볼까?

실마리를 잡다

문제 해결 방향으로 이끌어 가는 일의 첫 부분을 가지게 되다. 또는 일의 진행이나 분위기를 이해하다라는 뜻.

실마리는 감겨 있거나 엉켜 있는 실의 첫머리라는 뜻이야.

고민하는 문제가 있다더니 해결됐어?

아직, 해결되지는 않았어. 그런데 실마리를 잡을 수 있을 것 같아.

꼬리를 드러내다

진실된 본디의 모습을 알리거나 밝히다라는 뜻. '꼬리를 드러내다'와 반대되는 의미로 '꼬리를 감추다(숨기다)'가 있는데 '어떤 것이 남긴 표시나 자리를 감추다'라는 뜻임.

두더지야, 꼬리 다 보인다. 쿡쿡

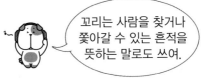

꼬리는 사람을 찾거나 쫓아갈 수 있는 흔적을 뜻하는 말로도 쓰여.

정답 실마리를 잡다

1 빈칸에 알맞은 말을 보기에서 찾아 쓰시오.

보기
배경   사건   갈등   추론

(1) 범인이 누구인지 ☐☐ 해 볼까?

(2) ☐☐ 은 인물이 벌이거나 겪는 일이다.

(3) 소설 「소나기」의 공간적 ☐☐ 은 농촌의 어느 마을이다.

2 다음과 같은 뜻을 가진 낱말을, 첫 자음자를 바탕으로 쓰시오.

일이나 사건을 풀어 나갈 수 있는 첫머리.

☐ ㅅ ☐ ㅁ ☐ ㄹ

3 다음은 '결말'에 대한 뜻입니다. 첫 자음자와 뜻을 살펴보고 ❶과 ❷에 들어갈 알맞은 낱말을 쓰시오.

결말

❶ ㄱ ㄷ 이 없어지고 문제가 ❷ ㅎ ㄱ 되는 소설의 마지막 단계.

❶ ㄱ ㄷ : 서로의 생각이나 처지 등이 달라서 맞부딪치는 것.

❷ ㅎ ㄱ : 문제나 얽힌 일을 잘 처리함.

4 밑줄 그은 '복선'이 알맞게 쓰인 문장은 무엇입니까? ·········· (☐)

① 복선에서 인물을 소개한다.

② 복선을 읽으면 운율이 느껴진다.

③ 비극적 결말을 암시하는 복선이 있다.

④ 복선은 인물의 행동이나 표정을 지시한다.

⑤ 복선에는 글쓴이의 주장에 대한 근거가 나타난다.

5 다음 이야기에서 밑줄 그은 부분과 관련된 속담은 무엇입니까? ·················· ( )

> 홍길동은 집을 나왔다가 도적 떼를 만나게 된다. 홍길동은 도적 떼의 시험을 통과하여 우두머리가 되었다.
> "이제 우리는 조선 팔도를 다니며 못된 벼슬아치들의 재물을 훔쳐 굶주리는 백성들에게 나누어 줄 것이다. 착한 백성의 재물에는 절대 손대지 않고 가난한 백성을 돕는 것이 우리의 목표이다. 그래서 이제부터 우리는 활빈당이라고 한다."
> 홍길동은 자신과 비슷한 허수아비 일곱 개를 만들고 주문을 외워서 사람처럼 만들었다. 그래서 홍길동이 조선 팔도에 동시에 나타나게 되었다. 홍길동은 조선 팔도를 누비며 소동을 피우고 재물을 훔쳐서 가난한 백성들에게 나누어 주었다.
> 이렇게 홍길동이 조선 팔도를 다니며 소동을 피우자 임금과 대신들은 머리가 아팠지만 뾰족한 수가 없었다. 결국 임금은 홍길동의 형을 경상도 ※관찰사로 임명하고 홍길동을 잡아 오라고 명령한다. 그러나 홍길동은 두 번이나 잡혔다가 도술을 부려 도망을 치고야 만다.
>
> ※ 관찰사: 조선 시대에 둔 각 도의 으뜸 벼슬.

① 시작이 반이다   ② 땅 짚고 헤엄치기

③ 동에 번쩍 서에 번쩍   ④ 백지장도 맞들면 낫다

⑤ 우물을 파도 한 우물을 파라

6 다음 관용어와 관련 있는 설명을 알맞게 이으시오.

(1) 실마리를 잡다 •

• ① 진실된 본디의 모습을 알리거나 밝히다.

(2) 꼬리를 드러내다 •

• ② 문제 해결 방향을 알게 되다.

7 다음 보기의 속담과 관련된 설명을 골라 ○표 하시오.

> 보기
>
> 콩 심은 데 콩 나고 팥 심은 데 팥 난다

(1) 사실과 다른 주장을 막무가내로 내세운다.   ( )

(2) 모든 일은 원인에 따라 거기에 걸맞은 결과가 나타난다.   ( )

#날씨

Q. 그림과 이어지는 해시태그(#)를 보고 알맞은 어휘를 골라 □에 V표 하시오.

① 무더위 □ / 열대야 □ ...

밤인데도 기온이 25 °C가 넘다니! 더워서 못 자겠어.

#날씨 #한여름 #밤 #도시라서_더_더워
#잠을_못_자겠어

② 태풍 □ / 홍수 □ ...

이렇게 바람이 세게 부는데 누가 밖에 나오자고 했어?

#날씨 #7~9월 #세찬_바람

③ 폭염 □ / 폭설 □ ...

살려줘

안 떨어져!

먼지 살려!

#날씨 #눈 #교통_혼잡
#발이_푹푹_빠지네

④ 여우비 □ / 장대비 □ ...

<조금 전>

비 오네!

오늘 여우 시집 가나?

비가 금세 그쳤네.

#날씨 #푸른_하늘 #비#날쌔게_잠깐만

정답 ① 열대야 ② 태풍 ③ 폭설 ④ 여우비

1주

① 무더위

습도와 온도가 매우 높아 찌는 듯 견디기 어려운 더위.
예 장마가 끝나자마자 무 더 위 가 시작되었다.

열대야

한여름에 집 밖의 가장 낮은 기온이 25℃ 이상인 무더운 밤.
예 열 대 야 는 지방보다 도시 지역에서 많이 발생한다.

Tip_
도시 지역은 사람, 건물, 공장
등에서 열이 발생하고 포장된
도로가 쉽게 가열되고 건조해
져서 열대야가 많이 생겨!

---

② 태풍

북태평양 서남부에서 생겨서 7~9월에 세찬 바람과 함께 큰비를 내리는 강한 열대 저기압.
예 지구 온난화의 영향으로 바닷물의 온도가 높아져 태 풍 의 힘도 세진다.

홍수

어느 한 지역에 집중적으로 내리는 비로 시내나 강 등이 흘러넘쳐서 주변 지역에 피해를 입히는 자연재해. 반의어 가뭄
예 홍 수 피해를 줄이기 위한 방법을 마련했다.

---

③ 폭염

낮 최고 기온이 33℃를 넘어서는 매우 더운 날씨.
예 폭 염 의 원인 중의 하나는 지구 온난화이다.

폭설

한꺼번에 많은 양의 눈이 내리는 것.
예 비닐하우스에 튼튼한 지지대를 설치하여 폭 설 피해에 대비해야 한다.

暴
사나울 폭
정도가
지나치다

炎
불꽃 염

雪
눈 설

---

④ 여우비

볕이 나 있는 날 잠깐 오다가 그치는 비.
예 '여 우 비 '를 방언으로 '햇비'라고 한다.

장대비

장대처럼 굵고 거세게 좍좍 내리는 비. 유의어 작달비
예 전국 곳곳에 장 대 비 가 내린다.

가랑비, 이슬비, 작살비,
소낙비, 부슬비 등 비가
내리는 모습에 따라 이름이
여러 가지야.

#날씨 #속담

Q. 그림과 이어지는 해시태그(#)를 보고 알맞은 속담을 골라 □에 V표 하시오.

마른하늘에 날벼락 □ / 비 온 뒤에 땅이 굳어진다 □

#날씨 #어려움이나_슬픔 #이겨_내자 #더욱_강해진_나

마른하늘에 날벼락

비나 눈이 오지 않는 맑게 갠 하늘에 느닷없이 치는 벼락이라는 뜻으로, 뜻하지 아니한 상황에서 뜻밖에 입는 재난을 이르는 말.

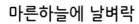

마른하늘에 날벼락

나쁜 일이 일어나지 않을 상황인데 → 뜻밖에 나쁜 일이 일어남.

비 온 뒤에 땅이 굳어진다

비에 젖어 질척거리던 흙도 마르면서 단단하게 굳어진다는 뜻으로, 어떤 어려움이나 슬픔을 겪은 뒤에 더 강해진다는 말.

비 온 뒤에 땅이 굳어진다

어려움이나 슬픔을 겪은 후 → 마음이나 몸이 강해진다

정답 비 온 뒤에 땅이 굳어진다

#날씨 #사자성어 🔍

Q. 그림과 이어지는 해시태그(#)를 보고 알맞은 사자성어를 골라 ☐에 V표 하시오.

🐰 천고마비 ☐ / 설상가상 ☐

#날씨 #가을 #말은_통통 #나는_포동포동

천고마비

하늘이 높고 말이 살찐다는 뜻으로, 하늘이 맑아 높푸르게 보이고 온갖 곡식이 익는 가을철을 이르는 말.

天	高	馬	肥
하늘 천	높을 고	말 마	살찔 비
↓	↓	↓	↓
하늘은	높고	말은	살찐다

▲ 천고마비의 계절, 가을의 하늘과 들판

설상가상

눈 위에 서리가 덮인다는 뜻으로, 곤란한 일이나 불행한 일이 잇따라 일어남을 이르는 말. '엎친 데 덮치다'라는 속담과 비슷한 뜻임.

雪	上	加	霜
눈 설	윗 상	더할 가	서리 상
↓		↓	↓
어려운 일		더해짐	또 어려운 일

약속 시각에 늦었는데 넘어지기까지 하다니, 설상가상이군.

정답 천고마비

1 보기의 빈칸에 공통으로 들어갈 낱말로 알맞은 것을 쓰시오.

> **보기**
> • ☐☐의 중심에 바람도 잔잔하고 날씨가 맑은 곳인 '☐☐의 눈'이 있다.
> • ☐☐은 우리나라에 여름이나 초가을에 온다.
> • ☐☐은 발생 지역에 따라 허리케인, 사이클론 등으로 불리기도 한다.

☐☐

2 다음은 이 비가 내리는 이유입니다. 빈칸에 알맞은 낱말을 쓰시오.

> 비구름은 멀리 떨어진 곳에 있으나 강한 바람 때문에 빗방울이 구름이 끼지 않은 맑은 곳까지 와서 내리는 비. 그래서 볕이 나 있는 날 잠깐 오다가 그치는 비임.

☐☐☐

3 다음 낱말의 뜻을 알맞게 이으시오.

(1) 폭염 •   • ① 장대처럼 굵고 거세게 좍좍 내리는 비.

(2) 홍수 •   • ② 한여름에 집 밖의 가장 낮은 기온이 25℃ 이상인 무더운 밤.

(3) 열대야 •   • ③ 낮 최고 기온이 33℃를 넘어서는 매우 더운 날씨.

(4) 장대비 •   • ④ 어느 한 지역에 집중적으로 내리는 비로 시내나 강 등이 흘러넘쳐서 주변 지역에 피해를 입히는 자연재해.

4 다음 낱말의 '폭'의 뜻으로 알맞은 것은 무엇입니까? ·· ( )

> 폭염   폭설

① 넓다   ② 두르다   ③ 물이 많다
④ 가운데이다   ⑤ 정도가 지나치다

5 다음 글의 빈칸에 알맞은 사자성어는 무엇입니까? ·· (   )

> 2004년 아테네 올림픽 마라톤 경기에서 일어난 일이다. 브라질의 리마 선수가 1위로 달리고 있었다. 그때 한 관객이 달려들어 리마 선수를 밀치자 리마 선수는 쓰러졌다. 리마 선수는 다시 일어나 달렸지만 1위로 달렸던 마라톤의 속도를 유지할 수 없었다. 가까스로 정신을 차린 리마 선수가 달리고 있을 때   으로 자전거에 부딪히고 말았다. 리마 선수는 다른 선수들보다 점점 뒤처지기 시작했다. 관중들은 리마 선수의 모습을 보고 더는 경기를 계속할 수 없을 것이라고 생각했다.
>
> 결국 리마 선수의 뒤에서 달리던 선수들이 1등과 2등으로 결승선을 통과했다. 그때 놀라운 일이 벌어졌다. 리마 선수가 3위로 결승선을 통과한 것이다. 올림픽이 끝나고 브라질로 돌아온 리마 선수는 인터뷰에서 이렇게 말했다.
>
> "메달 색깔은 중요하지 않습니다. 나는 메달을 따고 오겠다던 약속을 지켰고 위대한 올림픽 정신을 실천했습니다. 그리고 나를 밀친 관중도 용서합니다."

① 임기응변   ② 표리부동   ③ 좌불안석

④ 호의호식   ⑤ 설상가상

6 다음 속담을 쓸 수 있는 상황으로 알맞은 것은 무엇입니까? ······························ (   )

> 비 온 뒤에 땅이 굳어진다

① 친구와 거친 말로 서로 싸울 때

② 도서관에 갔는데 문을 닫았을 때

③ 나무가 부러져 달리던 차에 떨어졌을 때

④ 컴퓨터 게임을 했는데 시간이 한참 지나 있었을 때

⑤ 음식점이 망했다가 새로 개발한 음식으로 큰 성공을 거두었을 때

7 다음 사자성어의 빈칸에 들어갈 한자로 알맞은 것은 무엇입니까? ···················· (   )

天	高		肥
하늘 천	높을 고	말 마	살찔 비

① 馬   ② 虎   ③ 犬   ④ 猫   ⑤ 牛

3일 교과 어휘 과학

#습도

Q. 그림과 이어지는 해시태그(#)를 보고 알맞은 어휘를 골라 ☐에 V표 하시오.

① 습기 ☐ / 습도 ☐

#습도 #공기 #수증기 #낮으면_푸석푸석

② 안개 ☐ / 서리 ☐

#습도 #수증기 #얼다 #맑고_추운_날_아침

③ 수증기 ☐ / 김 ☐

#습도 #물방울 #기체_상태 #안_보여

④ 응결 ☐ / 기화 ☐

#습도 #물 #수증기 #빨래가_뽀송뽀송
#말랐네

정답 ① 습도 ② 서리 ③ 수증기 ④ 기화

1 주

① 습기

물기가 많아 젖은 듯한 기운.

[예] 습기를 잘 흡수하는 건조제를 넣어 두면 곰팡이가 생기는 것을 막을 수 있다.

습도

공기 중에 수증기가 들어 있는 정도.

습도가 하루 중에서 가장 높을 때는 새벽이고, 가장 낮을 때는 오후 2~3시임.

▲ 습도가 낮을 때 사용하는 가습기

---

② 안개

수증기가 땅의 겉면 근처에서 응결하여 공기 중에 작은 물방울 상태로 떠 있는 현상.

[예] 안개는 하루 동안의 기온 변화가 큰 봄이나 늦가을, 초겨울 아침에 많이 생긴다.

서리

기온이 낮아지면서 공기 중에 있던 수증기가 물체나 땅에 닿아 눈가루같이 얼어붙은 것.

[예] 서리는 주로 맑고 추운 날 새벽에 볼 수 있다.

▲ 서리 맞은 식물

---

③ 수증기

기체 상태의 물.

색깔과 냄새가 없고 무게가 가벼워서 공기 중에 섞여 있어서 눈에 보이지 않음.

김

수증기가 공기 중으로 나왔을 때 식어서 작은 물방울로 변한 것. 김은 기체 상태가 아니라 액체 상태임.

[예] 물을 끓일 때 김이 나온다.

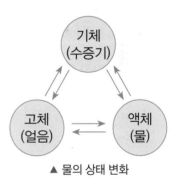

▲ 물의 상태 변화

---

④ 응결

기체인 수증기가 액체인 물이 되는 현상.

수증기가 찬 물질의 표면에 닿거나 공기의 온도가 내려가야 응결이 일어남.

[예] 안개나 구름은 수증기의 응결 때문에 생긴 현상이다.

기화

액체가 기체로 변하는 현상.

증발과 끓음처럼 액체의 온도가 올라가야 기화가 일어남.

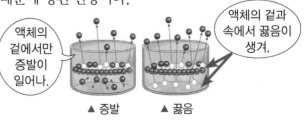

액체의 겉에서만 증발이 일어나.

액체의 겉과 속에서 끓음이 생겨.

▲ 증발　　▲ 끓음

#습도 #속담

Q. 그림과 이어지는 해시태그(#)를 보고 알맞은 속담을 골라 □에 V표 하시오.

김 안 나는 숭늉이 더 뜨겁다 □ / 풀 끝의 이슬 □

오늘 여주가 조용하니까 정말 좋다.

여주 누나가 조용할 때가 가장 무서운 때야.

♡ ○ ◁

#습도 #말이_없는_사람 #속은_더_강함

김 안 나는 숭늉이 더 뜨겁다

물이 한창 끓고 있을 때면 김은 나지 않지만 가장 뜨거운 것처럼, 공연히 떠벌리는 사람보다는 가만히 침묵을 지키고 있는 사람이 더 무섭고 야무지다는 뜻.

김 안 나는 숭늉이 더 뜨겁다

침묵을 지키는 → 무섭고
사람이 → 야무지다

김이 안 나서 안 뜨거운 줄 알았지.

풀 끝의 이슬

풀 끝에 맺힌 이슬은 풀이 흔들리면 떨어지거나 해가 뜨면 말라서 없어지게 됨. 이 속담은 인생이 풀 끝의 이슬처럼 덧없고 허무하다는 뜻.

풀 끝의 이슬

→ 덧없는 것

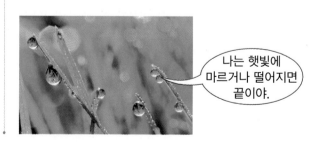

나는 햇빛에 마르거나 떨어지면 끝이야.

정답 김 안 나는 숭늉이 더 뜨겁다

#습도 #관용어 🔍

Q. 그림과 이어지는 해시태그(#)를 보고 알맞은 관용어를 골라 ☐에 V표 하시오.

🐰 김이 식다 ☐ / 서리가 앉다(내리다) ☐

#습도 #머리카락 #희다 #세월의_흐름

김이 식다

'김'은 의욕이나 흥미가 많은 상태를 뜻하기도 하는데, '김이 식다'는 재미나 하고 싶은 마음이 없어지다라는 뜻.

㉠ 친구의 불평을 들으니 김 이 식 었 다.

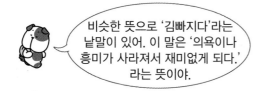

> 비슷한 뜻으로 '김빠지다'라는 낱말이 있어. 이 말은 '의욕이나 흥미가 사라져서 재미없게 되다.' 라는 뜻이야.

> 너 때문에 김이 식었어.

서리가 앉다(내리다)

서리가 앉으면 물체의 표면이 하얗게 되는데, 여기에서 '서리가 앉다'가 머리카락이 하얗게 세다라는 뜻이 됨.

㉠ 서 리 가 앉 은 할머니의 머리를 보니 마음이 아팠다.

> 비슷한 뜻의 관용어로 '서리를 이다'가 있어.

> 세월이 흐르니 우리 머리에 서리가 앉았네요.

정답 서리가 앉다(내리다)

1 보기의 내용은 무엇을 막기 위한 것인지, 첫 자음자를 참고하여 쓰시오.

보기
• 김이 든 봉지에 들어 있는 건조제인 실리카 젤.
• 신발장이나 옷장에 넣어 두는 염화 칼슘으로 만든 건조제.

| ㅅ | ㄱ |

2 다음과 관계 깊은 현상을 쓰시오.

• 액체가 기체로 변하는 현상이다.
• 빨래를 널었는데 빨래가 마른다.
• 물을 끓이면 물이 조금씩 줄어든다.

(   )

3 다음 (   ) 안에 알맞은 낱말을 보기에서 찾아 쓰시오.

보기
| 안개 | 서리 | 수증기 | 습도 |

(1) 강이나 호수 주변에 (   )가 많이 생겨서 앞이 잘 보이지 않는다.
(2) 집 안의 (   )를 높이기 위해서 가습기를 튼다.
(3) (   )가 생기는 날은 농작물이 얼어 피해가 생긴다.
(4) (   )가 하늘 높이 올라가서 작은 물방울이 되어 뭉쳐서 구름이 만들어진다.

4 다음에서 설명하는 동형어는 무엇인지 쓰시오.

뜻 1   수증기가 공기 중으로 나왔을 때 식어서 작은 물방울로 변한 것.
뜻 2   바닷속에서 자라는 식물. 검은 자주색 또는 붉은 자주색을 띠며 주로 말려서 먹음.

(   )

5 다음과 같은 상황에서 쓸 수 있는 속담은 무엇입니까? ··· ( )

> 도준이는 말이 없다. 당번 활동을 할 때에도 아침에 일찍 와서 묵묵히 할 일을 한다. 도준이와 당번 활동을 같이 하는 날 내가 지각을 한 적이 있다. 도준이는 내가 할 일까지 다 한 후에 자리에 앉아 있었다. 내가 미안하다는 말을 하자 아무 말 없이 씩 웃을 뿐이었다.
> 도준이는 공부와 체육 활동도 잘한다. 단원 평가를 보면 늘 좋은 성적을 받는다. 체육 활동을 할 때에도 도준이와 같은 편이 되면 이기는 일이 많다. 그렇지만 도준이는 한 번도 잘난 척을 한 적이 없다.
> 그런데 오늘 우리 반에서 몸이 불편한 친구의 몸짓을 흉내 내며 놀리던 다른 반 친구들이 있었다. 도준이는 그 모습을 보자마자 불같이 화를 내며 그 친구들을 불러 세워서 우리 반 친구에게 사과를 하라고 시켰다. 도준이의 모습을 본 다른 반 친구들은 부끄러워하며 사과를 하고 황급히 자리를 떴다. 도준이는 평소에 조용하더니 오늘 보니까 엄청 무섭다는 생각이 들었다.

① 숭늉에 물 탄 격   ② 고생을 밥 먹듯 하다

③ 우물에 가 숭늉 찾는다   ④ 김 안 나는 숭늉이 더 뜨겁다

⑤ 물에 빠져도 정신을 차려야 산다

6 오른쪽과 같은 뜻을 지닌 속담은 무엇입니까? ····················· ( )

> 인생이 덧없고 허무함.

① 풀 끝의 이슬   ② 하늘의 별 따기

③ 모래 위에 물 쏟는 격   ④ 풀 끝에 앉은 새 몸이라

⑤ 풀을 베면 뿌리를 없이하라

7 다음 관용어의 빈칸에 공통으로 들어갈 말을 쓰시오.

> • [ ]가 앉다: 머리카락이 하얗게 세다.
> • [ ]를 맞다: 힘에 의해 큰 피해를 입다.
> • [ ] 같은 칼: 흰 빛이 번뜩이는 날카로운 칼.

( )

8 다음 대화에서 정우가 할 말로 알맞은 것에 ○표 하시오.

> 남주: 학원 숙제는 다 하고 놀러 나가는 거니?
> 정우: 에이, 형 때문에 (김이 식었어 / 손발이 잘 맞았어).

#옷

Q. 그림과 이어지는 해시태그(#)를 보고 알맞은 어휘를 골라 ☐에 V표 하시오.

① 윗옷 ☐ / 웃옷 ☐ ···

#옷 #위 #블라우스_셔츠
#아래옷과_맞추어서_입기

② 해어지다 ☐ / 깁다 ☐ ···

#옷 #낡다 #너덜너덜 #버려야_하나

③ 깃 ☐ / 소매 ☐ ···

#옷 #목 #단정하게 # 추울_때는_여미기

④ 고름 ☐ / 대님 ☐ ···

#옷 #한복 #윗옷 #깃 #예쁘게_매어_볼까?

정답 ① 윗옷 ② 해어지다 ③ 깃 ④ 고름

①

윗옷

위에 입는 옷. 윗도리. 상의. [반의어] 아래옷, 아랫도리, 하의
[예] 아래위를 구분할 수 있는 경우에는 '윗 옷'이라고 한다.

웃옷

맨 겉에 입는 옷.
[예] 점퍼나 코트 따위가 웃 옷이다.

> '웃-'은 아래위의
> 구분이 없을 때
> 쓸 수 있는
> 접사야.

웃옷
윗옷
아래옷

---

②

해어지다

닳아서 떨어지다. [준말] 해지다
[예] 아이는 해 어 진 옷을 입고 신발도 신지 않았다.

깁다

떨어지거나 해어진 곳에 다른 조각을 대거나 또는 그대로 꿰매다.
[예] 구멍 난 양말을 깁 다.

Tip
'헤어지다'와 소리가
비슷하니까 맞춤법에
주의해서 쓰기!

> '깁다'만 표준어
> 이고 '기우다'는
> 표준어가 아니야.

---

③

깃

저고리나 두루마기의 목에 둘러대어 앞으로 여밀 수 있도록
된 부분. 양복 윗옷에서 목둘레에 길게 덧붙여 있는 부분.
[예] 깃을 꼭꼭 여몄다.

소매

윗옷의 좌우에 있는 두 팔을 꿰는 부분.
[예] 소 매가 손등까지 덮을 정도로 길다.

깃
고름
소매

깃

---

④

고름

저고리나 두루마기의 깃 끝과 그 맞은편에 하나씩 달아 양편 옷깃을 여밀 수 있도록 한 헝겊
끈. 옷고름.
[예] 고 름을 단정히 매다.

대님

한복에서, 남자들이 바지를 입은 뒤에 그 가랑이의 끝 쪽을
접어서 발목을 졸라매는 끈.
[예] 대 님이 풀어지지 않도록 맸다.

대님

 # 옷 # 속담

Q. 그림과 이어지는 해시태그(#)를 보고 알맞은 속담을 골라 □에 V표 하시오.

옷깃만 스쳐도 인연이라 □ / 같은 값이면 다홍치마 □

옷 # 돈 # 노력 # 더_좋은_것으로_골라야지

옷깃만 스쳐도 인연이라

인간이 살면서 부딪치는 사소한 만남이라도 불교에서 말하는 전생의 인연에서 비롯된다는 뜻으로, 살면서 겪게 되는 사람들과의 만남을 소중하게 여겨야 한다는 뜻.

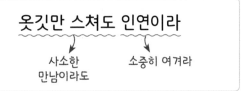

옷깃만 스쳐도 인연이라

사소한   소중히 여겨라
만남이라도

같은 값이면 다홍치마

값이 같거나 같은 노력을 한다면 품질이 좋은 것을 고른다는 말.

예 같은 값이면 다홍치마라고 이 신발을 사겠어.

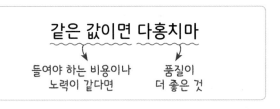

같은 값이면 다홍치마

들여야 하는 비용이나   품질이
노력이 같다면   더 좋은 것

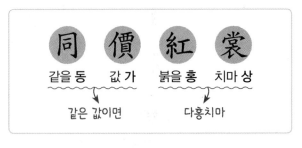

同 價 紅 裳
같을 동   값 가   붉을 홍   치마 상

같은 값이면   다홍치마

정답 같은 값이면 다홍치마

#옷 #사자성어

Q. 그림과 이어지는 해시태그(#)를 보고 알맞은 사자성어를 골라 □에 V표 하시오.

🐰 호의호식 □ / 금의환향 □

그렇게 고생을 하더니 출세하여 돌아오는구나.

장원 급제 행차요~!

#옷 #비단옷 #고향 #성공해서_돌아옴.

호의호식

좋은 옷을 입고 좋은 음식을 먹음. 넉넉하게 잘 사는 모습을 뜻함. 유의어 금의옥식

예 열심히 일하여 호의호식을 누리다.

好 衣 好 食
좋을 호 　옷 의 　좋을 호 　밥 식

'호의호식'을 '호위호식'이라고 쓰지 않도록 주의해야 해.

금의환향

비단옷을 입고 고향에 돌아온다는 뜻으로, 출세하여 고향에 돌아가거나 돌아옴을 비유적으로 이르는 말.

예 어머니는 아들의 금의환향을 기대하였다.

錦 衣 還 鄉
비단 금 　옷 의 　돌아올 환 　고향 향

금의: 높은 지위에 오르거나 유명해졌다는 뜻.

◀ 옛날에 과거에 급제한 사람의 옷차림

정답 금의환향

1 다음 문장의 밑줄 그은 말이 알맞지 <u>않은</u> 것은 무엇입니까?····································· (   )

① <u>윗옷</u>과 바지가 잘 어울린다.

② 누나는 <u>윗옷</u>으로 블라우스만 입는다.

③ <u>윗옷</u>와 아래옷을 합쳐서 다섯 벌을 샀다.

④ 활동하기 편한 <u>윗옷</u>을 입는 것이 좋겠다.

⑤ 날씨가 따뜻해지면서 <u>윗옷</u>을 전혀 입지 않게 되었다.

2 다음 빈칸에 공통으로 들어갈 말을, 첫 자음자를 바탕으로 쓰시오.

> • 찢어진 옷을 ◯◯   • 해진 바지를 ◯◯
> • 구멍 난 양말을 ◯◯

| ㄱ | ㄷ |

3 다음 한복 각 부분의 이름을 보기 에서 찾아 써넣으시오.

> **보기**
>
> 깃   고름   대님   소매

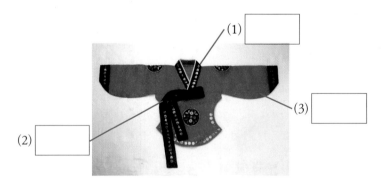

(1) ☐

(2) ☐

(3) ☐

4 다음 대화를 읽고 알맞은 말에 ◯표 하시오.

> 이준: 설날이라서 한복을 입으니까 기분이 좋다.
> 소민: 너 바지 아래가 바닥에 질질 끌리고 있어.
> 이준: 어? (버선 / 대님)이 풀어졌구나.

5 다음 신문 기사와 관련된 사자성어는 무엇입니까? ···( )

> 영화 「○○○」의 감독과 배우들이 어제 공항 입국장을 통해 들어왔다. 며칠 전 미국에서 열린 아카데미 시상식에서 작품상을 비롯한 여러 개의 상을 수상한 직후였다. 주연 배우 □□□은 배우들을 대표해 소감을 밝혔다.
> "이번 수상은 우리나라 영화계 전체의 영광입니다. 저희에게 끊임없는 성원을 주신 국민 여러분께 감사드립니다."
> 아카데미 역사상 최초로 외국어 작품상을 수상한 배우들을 취재하려는 기자들로 공항은 이른 아침부터 붐볐다. 공항을 이용하는 외국인들도 배우들의 사진을 찍거나 환호하는 등의 반응을 보였다. 그리고 많은 시민들이 꽃다발을 전달하거나 축하의 박수를 보냈다.
> 한 시민은 인터뷰에서 다음과 같이 말하였다.
> "기분이 너무 좋고 한국 영화가 정말 대단합니다. 저는 이 영화를 여러 번 보았는데 현재 우리 사회의 문제에 대해 많은 것을 생각하게 해 주었습니다. 감독과 배우들이 자랑스럽고 영화의 한국어 대사의 의미가 외국인에게도 통했다는 것이 뜻깊다고 생각합니다."

① 견리사의   ② 녹의홍상   ③ 백의종군   ④ 금의야행   ⑤ 금의환향

6 다음 글의 밑줄 그은 부분과 바꾸어 쓸 수 있는 말은 무엇입니까? ··························( )

> 일제 강점기에 친일하던 나라의 높은 관리들은 <u>남부러울 것 없이 풍요롭게 살았다.</u>

① 고진감래하였다   ② 전전긍긍하였다   ③ 호의호식하였다
④ 대기만성하였다   ⑤ 일거양득하였다

7 다음 빈칸에 들어갈 속담으로 알맞은 것에 ○표 하시오.

> • ☐☐☐(라)고 이 휴대 전화가 좋겠어. 모양도 예쁘고 화면도 큰데 가볍기까지 해서 정말 좋아.

(1) 같은 값이면 다홍치마 (   )   (2) 값도 모르고 싸다 한다 (   )

8 다음 문장의 빈칸에 알맞은 낱말을 써넣으시오.

> "☐☐만 스쳐도 인연이라"라는 속담은 살면서 겪게 되는 사람들과의 만남을 소중하게 여겨야 한다는 뜻이다.

#변화

Q. 그림과 이어지는 해시태그(#)를 보고 알맞은 어휘를 골라 □에 V표 하시오.

① 발명 □ / 발견 □

로봇 청소기 처음 만든 사람을 무찌르러 가자. 가자, 가자!

#변화 #물건_기술 #새로운_것 #특허

② 산업 혁명 □ / 사회 운동 □

우리 집은 전부 손으로 직접 해. 이 혁명이 일어나야 해.

밥 먹기 싫은 사람만 그만둬요!

#변화 #영국 #기계의_발달
#공업_중심_사회

③ 정보화 □ / 세계화 □

세계로 디디는 나의 첫걸음!

우리는 우주를 디뎠지.

입국장

#변화 #세계 #하나의_마을처럼
#세계가_나의_무대

④ 공동체 □ / 지역 이기주의 □

선풍기는 정우 방에 에어컨은 내 방에!!

에어컨은 내 방에!!

#변화 #좋은_것은_우리_동네에
#나쁜_것은_다른_동네에

정답 ① 발명 ② 산업 혁명 ③ 세계화 ④ 지역 이기주의

1주

① 발명

아직까지 없던 물건이나 기술을 새로 생각하여 만들어 내는 것.

발명은 과학과 기술을 발전시키는 역할을 함.

㉠ 에디슨은 백열전구를 발 명 하였다.

물건

방법 → 발명

물건을 만드는 방법

발견

어떤 숨겨진 물건이나 사실을 찾아내는 것.

이미 있던 것을 모르고 있다가 지식 또는 기술의 발전으로 밝혀지는 것.

만유인력의 법칙을 ▶ 발견한 뉴턴

---

② 산업 혁명

18세기 산업의 기초가 수공업에서 대규모 기계 공업으로 전환된 큰 변화.

산업 혁명은 18세기 중엽 영국에서 시작되어 증기 기관과 기계의 발달로 생산력이 크게 향상되어 농업 중심 사회에서 공업 중심 사회로 변화함.

사회 운동

사회를 더 좋게 변화시키거나 사회 문제의 해결을 위하여 여러 사람이 모여 계속적으로 하는 행동.

㉠ 환경 보호를 목적으로 하는 사 회 운 동 단체가 많다.

---

③ 정보화

정보가 가장 중요한 자원이 되어, 정보를 중심으로 산업이나 경제가 발전되고 사회가 운영되어 가는 것.

㉠ 정 보 화 사회에서는 정보를 이용하여 돈을 번다.

세계화

세계가 정치, 경제, 사회, 문화 등 여러 분야에서 서로 많은 영향을 주고받으면서 통하는 것이 많아지는 것.

㉠ 교통과 통신의 발달로 세 계 화 의 속도가 빨라진다.

Tip
정보는 실제 문제 해결에 도움이 될 수 있는 형태로 정리된 지식이나 자료를 뜻해.

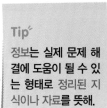

---

④ 공동체

사람들이 모여 집단을 이루고 목표나 삶을 같이하면서 함께 살아가는 것.

지역 이기주의

다른 지역의 사정은 생각하지 않은 채 자기 지역의 이익이나 행복만 좇으려는 것.

㉠ 쓰레기 매립장이 들어오지 않기를 바라는 것이 지 역 이 기 주 의 이다.

Tip
님비 현상: 위험 시설이나 혐오 시설이 자신의 지역에 들어서는 것을 반대하는 것.

핌피 현상: 자신의 지역에 이익이 되는 시설을 가져오려는 것.

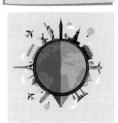

#변화 #속담

Q. 그림과 이어지는 해시태그(#)를 보고 알맞은 속담을 골라 □에 V표 하시오.

십 년이면 강산도 변한다 □ / 하늘을 보아야 별을 따지 □

우리 별도 많이 변했겠다.

너희들 온 지 며칠 안 됐거든.

여기에서의 하루는 우리 별에서는 일 년이라고.

#변화 #세월의_흐름 #세상_변화 #모두_변해_가네

십 년이면 강산도 변한다

십 년이라는 세월이 흐르는 동안에는 세상에 변하지 않는 것이 없이 다 변하게 된다는 말.
예 십 년이면 강산도 변한다더니 농촌의 모습이 많이 변했다.

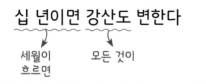

십 년이면 강산도 변한다

세월이 흐르면 → 모든 것이

桑 田 碧 海

뽕나무 상 밭 전 푸를 벽 바다 해

→ 뽕나무밭이 변하여 푸른 바다가 된다는 뜻으로, 세상일의 변함이 심하다는 뜻.

하늘을 보아야 별을 따지

어떤 성과를 거두려면 그에 상당한 노력과 준비가 있어야 된다는 말. 또는 무슨 일이 이루어질 기회나 조건이 전혀 없음을 이르는 말.

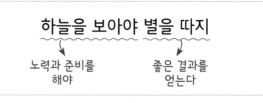

하늘을 보아야 별을 따지

노력과 준비를 해야 → 좋은 결과를 얻는다

전기를 먹으려면 플러그는 꽂아야 하지 않겠니?

귀찮아……

정답 십 년이면 강산도 변한다

#변화 #사자성어 🔍

Q. 그림과 이어지는 해시태그(#)를 보고 알맞은 사자성어를 골라 ☐에 V표 하시오.

🐰 격세지감 ☐ / 박학다식 ☐

♡ ◯ ◁

#변화 #많이_변함 #다른_세상 #몰라_보겠네

격세지감

오래지 않은 동안에 몰라보게 변하여 아주 다른 세상이 된 것 같은 느낌이라는 뜻.

예 미국에서 우리나라 노래가 유행한다는 뉴스를 보니 이다.

隔 世 之 感
사이 뜰 격 인간 세 갈 지 느낄 감

옛날 전화기와 비교하여 스마트폰을 보면 격세지감이지.

박학다식

배워서 얻은 것이나 보고 들은 것이 넓고 아는 것이 많다는 뜻.

예 친구가 해서 깜짝 놀랐다.

博 學 多 識
넓을 박 배울 학 많을 다 알 식

책을 많이 읽으면 박학다식해져.

정답 격세지감

1 다음에서 '발명'이 알맞지 <u>않게</u> 쓰인 문장은 무엇입니까? ··············· (   )

① 학생 과학 발명품 대회가 열렸다.

② 학교에서 발명에 관한 교육을 하였다.

③ 청동기의 발명에 따라 사회가 빠르게 발전하였다.

④ 콜럼버스의 신대륙 발명에 대해서는 여러 의견이 있다.

⑤ 고려 시대에 최무선은 화약을 이용한 무기를 발명하였다.

2 다음 (   ) 안에 들어갈 낱말을 알맞게 이으시오.

(1) 인권 보호를 위한 (   )을/를 만들었다.   ·   ·① 공동체

(2) (   ) 사회에서는 지식과 정보를 활용할 수 있는 능력이 중요하다.   ·   ·② 세계화

(3) (   )의 단점으로 각 나라나 지방 고유의 문화가 파괴된다는 것이 있다.   ·   ·③ 정보화

3 다음에서 설명하는 것은 무엇인지 쓰시오.

- 18세기 중엽 영국에서 시작됨.
- 18세기 산업의 기초가 수공업에서 대규모 기계 공업으로 전환된 큰 변화
- 증기 기관과 생산 기계의 발달로 생산 기술이 크게 발달하여 농업 중심 사회에서 공업 중심 사회로 변화함.

(   )

4 다음 현상과 관련 있는 것에 ○표 하시오.

- 공공의 이익을 위해 꼭 필요하다는 것을 알면서도 시설이 들어섰을 때 생길 수 있는 여러 가지 불이익 때문에 자신의 지역에 세워지는 것에는 반대하는 현상
- 사람들에게 좋은 영향을 주거나 자기 지역에 이익이 되는 시설을 서로 이끌어 들이려는 현상

(사회 운동 / 지역 이기주의)

5 다음 이야기와 관련된 속담은 무엇입니까? ·· ( )

> 지난 일요일 아버지와 함께 아버지의 고향을 찾았다. 아버지께서는 고향을 찾은 지도 한참 되었다고 하셨다. 아버지는 고향 곳곳을 다니시다가 달라진 고향의 모습에 깜짝 놀라셨다. 예전에는 이렇게 높은 아파트도 없고 넓은 길도 없었는데 지금은 몰라보게 달라졌다고 말씀하셨다. 아버지께서는 고향 곳곳을 둘러보시며 어린 시절에 겪었던 일들에 대해 말씀해 주셨다. 지금과는 너무 다른 이야기라서 새로웠다.
> 점심 무렵에 전통 시장을 찾았다. 아버지께서는 전통 시장의 모습을 보시고는 또 한번 깜짝 놀라셨다.
> "예전에는 추위와 더위를 피할 수 없었는데 이렇게 시장 전체에 지붕이 있어서 좋구나. 그리고 화장실도 현대적이고 깔끔하네. 간판들도 깔끔하게 잘 되어 있고 길도 다니기가 편하게 잘 되어 있어. 정말 예전 모습을 떠올릴 수 없을 정도로 많이 달라졌구나."
> 현대적으로 바뀐 전통 시장에는 사람들도 많았다. 이동도 편리하고 장을 보기에도 쾌적한 환경이 한몫을 하는 것 같았다.

① 십년공부 도로 아미타불   ② 십 년 가는 거짓말 없다

③ 십 년이면 강산도 변한다   ④ 십 년 묵은 체증이 내리다

⑤ 돌도 십 년을 보고 있으면 구멍이 뚫린다

6 다음과 같은 뜻의 속담은 무엇인지 ( ) 안에 알맞은 낱말을 써넣으시오.

> 어떤 성과를 거두려면 그에 상당한 노력과 준비가 있어야 된다는 말

• ( )을 보아야 ( )을 따지

7 다음 ( ) 안에 들어갈 공통으로 들어갈 사자성어는 무엇입니까? ·················· ( )

> • 갯벌이었던 곳이 농사지을 수 있는 땅이 되다니 ( )(이)다.
> • 예전 초등학생 수에 비해 요즘 초등학생 수가 너무 줄어서 ( )(이)다.

① 고진감래   ② 감언이설   ③ 십년감수   ④ 감지덕지   ⑤ 격세지감

8 다음 중 '박학다식'을 알맞게 활용한 문장에 ○표 하시오.

(1) "낫 놓고 기역 자도 모른다"라는 속담은 박학다식한 사람을 빗댈 때 쓴다.   ( )

(2) 세상이 빠르게 변하는 요즘과 같은 시대에는 폭넓은 지식과 교양을 갖춘 박학다식형 인재가
환영을 받는다.   ( )

누구나 100점 TEST

1 다음 뜻에 관련된 낱말을 알맞게 이으시오.

(1) 소설의 마지막 단계.　　・　　・① 갈등

(2) 사건이 일어나는 시간과 장소.　　・　　・② 배경

(3) 서로의 생각이나 처지 등이 달라서 맞부딪치는 것.　　・　　・③ 결말

2 다음과 같은 뜻의 속담에 ○표 하시오.

모든 일은 원인에 따라 거기에 걸맞은 결과가 나타난다.

(1) 누워서 침 뱉기　　　　　（　　　）
(2) 비 온 뒤에 땅이 굳어진다　　（　　　）
(3) 콩 심은 데 콩 나고 팥 심은 데 팥 난다
　　　　　　　　　　　　　　（　　　）

3 다음과 같은 현상은 무엇이라고 하는지 쓰시오.

어느 한 지역에 집중적으로 내리는 비로 시내나 강 등이 흘러넘쳐서 주변 지역에 피해를 입히는 자연재해.

（　　　　　　）

4 다음 ☐ 안에 들어갈 낱말이 알맞게 짝 지어진 것은 무엇입니까?……………（　　　）

雪上加霜(설상가상): ☐ 위에 ☐ 가 덮인다는 뜻으로, 곤란한 일이나 불행한 일이 잇따라 일어남을 이르는 말.

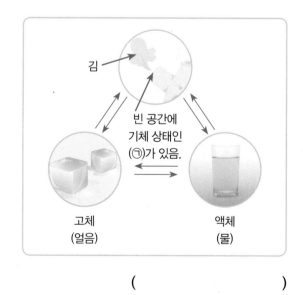

학교에 늦었는데 넘어지기까지 하다니.

① 눈, 서리　　　　② 비, 우박
③ 이슬, 안개　　　④ 더위, 추위
⑤ 여우비, 장대비

5 다음 물의 변화를 보고 ㉠에 알맞은 낱말을 쓰시오.

김

빈 공간에 기체 상태인 (㉠)가 있음.

고체 (얼음)　　　　액체 (물)

（　　　　　　）

6 다음 관용어를 사용할 수 있는 사람의 기호를 쓰시오.

서리가 앉다

(　　　　　　　　)

7 ㉠을 부르는 이름으로 알맞은 것은 무엇입니까?

·················· (　　　)

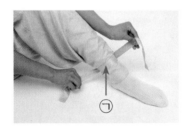

① 섶　　　　　　② 깃
③ 소매　　　　　④ 고름
⑤ 대님

8 다음 사자성어의 빈칸에 공통으로 들어갈 한자에 ○표 하시오.

- 好□好食(호의호식): 좋은 옷을 입고 좋은 음식을 먹음.
- 錦□還鄕(금의환향): 비단옷을 입고 고향에 돌아옴.

(義 / 衣 / 意)

9 다음에서 설명하는 것은 무엇입니까?(　　　　)

- 아직까지 없었던 물건이나 기술을 새롭게 만들어 내는 것.
- 이것은 과학과 기술을 발전시키는 역할을 함.

① 발견　　　② 발달　　　③ 발명
④ 발생　　　⑤ 발표

10 다음 대화의 빈칸에 들어갈 속담으로 알맞은 것에 ○표 하시오.

외국에서 공부를 하고 몇 년 만에 한국에 왔더니 많이 변했네.

그럼. (　　　)라는 속담도 있잖아.

(1) 십 년이면 강산도 변한다　(　　　)

(2) 십 년 묵은 체증이 내리다　(　　　)

(3) 돌도 십 년을 보고 있으면 구멍이 뚫린다

(　　　)

명언 플러스

실패는 성공의 어머니

에디슨은 '발명왕'이라는 별명으로 유명하지.

그의 별명에 걸맞게 생전에 낸 특허만도 천여 개가 넘지. 그중에는 우리가 아는 물건도 꽤 있어.

특히 백열전구는 에디슨의 큰 자랑이야.

하지만 발명은 생각처럼 쉽지 않았어.

그러던 어느 날, 에디슨은
운명의 소재를 만나지.

수천 번이 넘는 실패 끝에 마침내 발명한 필라멘트
전구를 발표하는 날

오! 대나무!

에디슨 전구 발표회 전구 수명 40시간 이상 보장

계속 실패했을 때
기분이 어떠셨나요?

에디슨은 기자의 질문에 이렇게 답했지.

실패라뇨? 저는 한 번도
실패한 적이 없습니다.
단지 수천 번의 단계가
있었을 뿐이었죠.

에디슨은 실패를 좋은 경험으로 삼았어.

내가
어머니다!

실패는 성공의
어머니입니다.

성공은 사실 많은 실패가
있기에 가능해.

마이클 조던
아저씨는 원래
농구 천재인가요?

아니. 고등학교
때에는 2군
선수였어.

키 작고 농구를
못해 늘 연습을
했지.

저
연습 벌레!

실패에 마음 상하지 말고 노력해 보자!

9000번 이상 슛을 놓치고
300번 정도의 경기에서 졌지.
그 실패 때문에 성공할 수
있었단다.

0점.
괜찮아! 잘했어!

1 다음 낱말의 뜻을 보고 십자말풀이를 해 보세요.

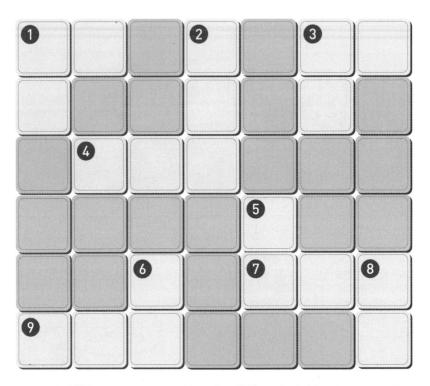

➡가로

❶ 낮 최고 기온이 33℃를 넘어서는 매우 더운 날씨.

❸ 물기가 많아 젖은 듯한 기운.

❹ 볕이 나 있는 날 잠깐 오다가 그치는 비. 예 호랑이가 장가가는 날인가, 왜 ○○○가 오지?

❼ 기체 상태의 물. 색깔과 냄새가 없고 무게가 가벼워서 공기 중에 섞여 있어 눈에 보이지 않음.

❾ 일이나 사건을 풀어 나갈 수 있는 첫머리.

⬇세로

❶ 한꺼번에 많은 양의 눈이 내리는 것.

❷ 장대처럼 굵고 거세게 좍좍 내리는 비. 첫 자음자는 ㅈㄷㅂ. 유의어는 작달비.

❸ 공기 중에 수증기가 들어 있는 정도. 예 ○○가 낮을 때에는 가습기를 사용한다.

❺ 어느 한 지역에 집중적으로 내리는 비로 시내나 강 등이 흘러넘쳐서 주변 지역에 피해를 입히는 자연재해.

❻ 기온이 낮아지면서 공기 중에 있던 수증기가 물체나 땅에 닿아 눈가루같이 얼어붙은 것.

❽ 액체가 기체로 변하는 현상.

2 친구들이 현장 체험학습을 가려고 버스를 타려고 해요. 드론이 알려 준 힌트를 보고 타야 할 버스의 번호를 쓰세요.

힌트

- 타야 할 버스를 알고 싶다면 관용 표현이나 사자성어와 관련된 상황이 알맞게 짝 지어진 것을 찾아.
- 번호 세 개를 찾아서 큰 수부터 늘어놓으면 그것이 버스 번호야!

번호	관용 표현이나 사자성어	상황
6	콩 심은 데 콩 나고 팥 심은 데 팥 난다	열심히 공부한 친구가 시험에서 좋은 성적을 받았을 때
3	금의환향	우리나라 선수들이 올림픽에서 좋은 성과를 거두고 돌아왔을 때
8	격세지감	어렸을 때 살았던 곳에 어른이 되어서 가 보았는데 몰라볼 정도로 변해 있을 때
4	하늘을 보아야 별을 따지	실력 차이가 큰데도 함부로 덤빌 때
2	풀 끝의 이슬	어린아이들의 미래가 밝을 때
1	설상가상	생일 선물로 새 옷와 새 신발을 한꺼번에 받았을 때

버스 번호 ◯ ◯ ◯

논리 탄탄

1 질문에 알맞은 대답을 찾아 화살표로 가는 길을 표시해 보세요.

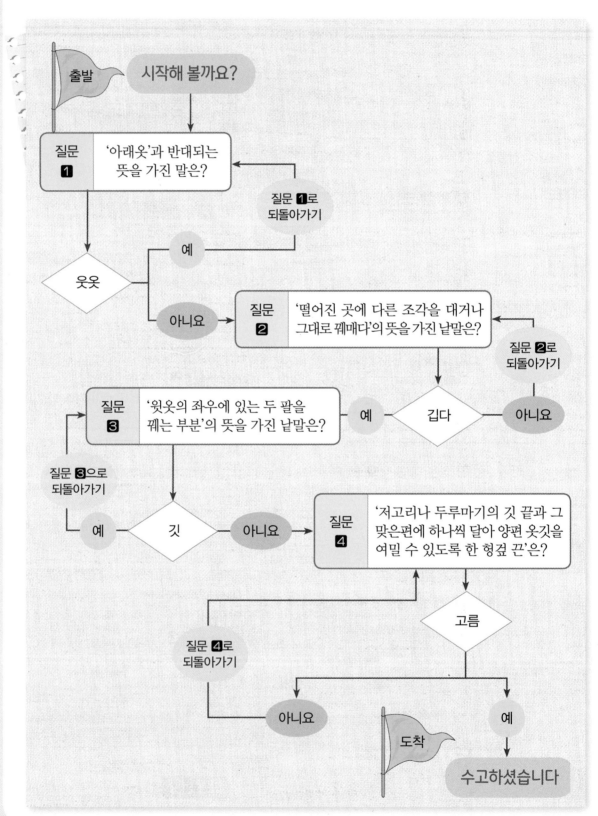

2 친구들이 문제의 정답을 따라 달리려고 합니다. 현재 서 있는 레인으로 계속 달린다면 달리기에서 이기는 친구는 누구인지 쓰세요.

(   )

2주에는 무엇을 공부할까? ①

1일 **국어 > 낱말**

단일어 / 복합어
어근 / 접사
주어 / 서술어
동사 / 형용사

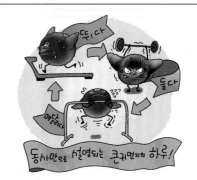

속담 뛰어야 벼룩 / 손바닥으로 하늘 가리기
관용어 일손을 떼다 / 맨발 벗고 나서다

2일 **생활 > 걸음**

헛걸음 / 제자리걸음
재다 / 굼뜨다
성큼성큼 /
어기적어기적
보행 / 보폭

속담 천 리 길도 한 걸음부터 / 고양이 앞에 쥐걸음
사자성어 등고자비 / 장족지세

3일 **과학 > 영양분**

양식 / 섭취
영양소 / 열량
번식 / 번영
발효 / 부패

속담 금강산도 식후경 / 썩어도 준치
관용어 밥 먹듯 하다 / 새끼를 치다

4일 생활 > 감정

무안하다 / 심란하다
원망 / 실망
인내심 / 의구심
기껍다 / 멋쩍다

속담 지렁이도 밟으면 꿈틀한다 / 참는 자에게 복이 있다
사자성어 희로애락 / 일희일비

5일 사회 > 고조선

환인 / 환웅
단군왕검 / 박혁거세
토테미즘 / 샤머니즘
수렵 채집 사회
/ 농경 사회

속담 다 된 농사에 낫 들고 덤빈다 / 선무당이 사람 잡는다
한자성어 홍익인간 / 제정일치

 명언 플러스

'한 인간에게는 작은 걸음이지만 인류에게는 위대한 도약이다'는

무슨 뜻일까?

단일어
―――
복합어

*단일어는 낱말을 쪼갤 수 없는 것

'단일어'와 '복합어'의 기준은 무엇일까?

1 다음 중 나머지 둘과 짜임이 <u>다른</u> 낱말은?

사람

책가방

풋사과

(   )

발효
―――
부패

*부패는 해로운 물질이 만들어 지는 것

'발효'와 '부패'는 어떻게 다를까?

2 밑줄 그은 '부패'가 가장 어울리는 문장은? (   )

① 치즈는 부패 음식의 하나이다.

② 김치가 부패되어 맛이 좋아졌다.

③ 여름철에는 음식이 부패하기 쉽다.

원망
━━━━━
실망

*안타까운 마음이 드는 것은 실망

'원망'하는 것과 '실망'하는 것은 무엇일까?

3 다음 중 실망하는 마음이 든 상황을 말한 친구는?

농구 경기를 할 때 친구가 장난으로 내 다리에 공을 던졌는데 맞아서 정말 아팠어.

친하게 지내고 싶었던 반 친구가 있었는데 나한테 먼저 와서 친하게 지내자고 말했어.

친구네 개가 낳은 강아지를 받아서 키우기로 하고 잔뜩 기대했는데 엄마께서 반대하셔서 못 키우게 되었어.

민준   윤서   주원

(   )

2주

썩어도 준치

*원래 좋았던 것은 비록 상해도 좋아.

왜 '썩어도 준치'라고 하였을까?

정말 좋은 청소기였는데 오래되니까 빨아들이는 힘이 약해졌네.

우리도 못 빨아들이겠네. 메롱.

내가 아무리 낡았어도 너희쯤이야.

늘려 버리자!

4 다음 중 '썩어도 준치'라는 속담에 어울리는 상황은? (   )

① 잘못된 지식을 다른 사람에게 알려 줄 때

② 평소에 순하던 친구가 자꾸 놀림을 받자 갑자기 화를 낼 때

③ 은퇴 직전의 축구 선수가 경기에서 골을 가장 많이 넣었을 때

#낱말

Q. 그림과 이어지는 해시태그(#)를 보고 알맞은 어휘를 골라 □에 V표 하시오.

① 단일어 □ / 복합어 □

#낱말 #쪼갤_수_없음 #쪼개지면_뜻이_없어져

② 어근 □ / 접사 □

#낱말 #혼자서는_안_됨 #다른_낱말과_붙어야_해

③ 주어 □ / 서술어 □

#낱말 #주인이_되는_말 #누가 #무엇이

④ 동사 □ / 형용사 □

#낱말 #움직임 #어찌하다

정답 ① 단일어 ② 접사 ③ 주어 ④ 동사

① 단일어

낱말을 쪼개었을 때 각각 아무 뜻을 가지지 못하여 더 이상 나눌 수 없는 낱말.
예 '사과'는 단 일 어 이다.

▲ 사과

복합어

뜻이 있는 두 낱말을 합한 낱말(합성어)과, 뜻을 더해 주는 말과 뜻이 있는 낱말을 합한 낱말(파생어).
예 '방울토마토'는 '방울'과 '토마토'가 합쳐진 복 합 어 이다.

▲ 방울+토마토(합성어)

② 어근

합성어나 파생어에서 실질적인 뜻을 나타내는 중심이 되는 부분.
예 '애호박'에서 '호박'이 어 근 이다.

▲ 김(어근)+밥(어근)

접사

파생어에서 어근에 붙어서 새로운 낱말을 만들고 뜻을 더해 주는 부분.
어근의 앞에 붙으면 '접두사', 어근의 뒤에 붙으면 '접미사'라고 함.
예 '소리꾼'에서 '꾼'은 접 사 이다.

▲ 소리(어근)+-꾼(접사)

③ 주어

문장에서 동작이나 상태의 주체가 되는 말.
문장에서 '누가' 또는 '무엇이'에 해당하는 부분.
예 주 어 는 문장에서 꼭 필요한 성분이다.

누가 / 무엇이 + 누구를 / 무엇을 / + 무엇이다 / 어찌하다 / 어떠하다
→ 주어　→ 목적어　→ 서술어

서술어

주어의 움직임, 상태, 성질 따위를 풀이하는 말.
문장에서 '어찌하다', '어떠하다', '무엇이다'에 해당하는 부분.
예 서 술 어 가 없으면 문장이 완성될 수 없다.

Tip'
문장에서 동작의 대상이 되는 말을 '목적어'라고 함. '누구를', '무엇을'에 해당하는 부분.

④ 동사

사람이나 사물의 움직임을 나타내는 말.
'어찌하다'에 해당하는 말.
예 '서다', '뛰다', '눕다' 따위가 동 사 이다.

동사	형용사
'서 있다'와 같이 진행형 표현을 할 수 있음.	'예쁘고 있다'와 같이 진행형 표현을 할 수 없음.

형용사

사람이나 사물의 성질이나 상태를 나타내는 말.
'어떠하다'에 해당하는 말.
예 형 용 사 로는 명령하는 문장이나 요청하는 문장을 만들 수 없다.

Q. 그림과 이어지는 해시태그(#)를 보고 알맞은 속담을 골라 ☐에 V표 하시오.

뛰어야 벼룩 ☐ / 손바닥으로 하늘 가리기 ☐

#낱말 #문제_상황 #해결_못_함 #가려도_다_보인다고

뛰어야 벼룩

벼룩은 아주 작은 곤충으로, 뛰어 보아야 멀리 뛰지 못한다는 말. 즉 도망쳐 보아야 크게 벗어 날 수 없다는 뜻.

비슷한 뜻의 속담 뛰어 보았자 부처님 손바닥

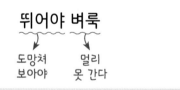

뛰어야 벼룩

도망쳐   멀리
보아야   못 간다

뛰어야 벼룩이었네.

손바닥으로 하늘 가리기

손바닥으로 넓은 하늘을 가린다는 뜻으로, 불리 한 상황에 대하여 근본적으로 해결하지 못하고, 그때그때 상황에 맞추어 행동함을 이르는 말.

손바닥으로 하늘 가리기

그때그때   불리한 상황에서
맞추어   벗어나기

"눈 가리고 아웅" 이라는 속담과 뜻이 비슷해.

정답 손바닥으로 하늘 가리기

#낱말 #관용어 🔍

Q. 그림과 이어지는 해시태그(#)를 보고 알맞은 관용어를 골라 ☐에 V표 하시오.

🐰 일손을 떼다 ☐ / 맨발 벗고 나서다 ☐

고마워 갚아올게!

콩쥐야, 네가 할 일을 우리가 다 끝냈어.

♡ ◯ ◁

#낱말 #일 #그만두다 #끝내다

일손을 떼다

'일손'은 손을 움직여 하는 일을 뜻함. 즉 '일손을 떼다'는 하던 일을 그만두다, 하던 일을 끝내다의 뜻.
例 할아버지께서는 일손을 떼고 고향으로 가셨다.

일손을 떼다

하던 일을 → 그만두다

'어떤 일에 손을 대어 시작하다.'라는 뜻의 '일손을 붙들다'와 반대되는 뜻이야.

맨발 벗고 나서다

'맨발'은 아무것도 신지 아니한 발이라는 뜻. '맨발 벗고 나서다'는 적극적으로 나서다라는 말.
[비슷한 뜻의 관용어] 발 벗고 나서다
例 친구가 교실 꾸미기에 맨발 벗고 나서다.

맨발 벗고 나서다

적극적으로 → 행동하다

지 구 정 복!

정답 일손을 떼다

1 빈칸에 알맞은 말을 보기에서 찾아 쓰시오.

보기
어근　　　접사　　　동사　　　주어

(1) 낱말 '햇밤'에서 '밤'은 ☐☐이다.

(2) 낱말 '애호박'에서 '애'는 ☐☐이다.

(3) 사람이나 사물의 움직임을 나타내는 말을 ☐☐라고 한다.

2 다음 중 나머지 넷과 종류가 <u>다른</u> 낱말은 무엇입니까?⋯⋯⋯⋯⋯⋯⋯⋯⋯⋯(　)

① 복숭아　　　　　　② 검붉다　　　　　　③ 늦되다

④ 바늘방석　　　　　⑤ 방울토마토

3 다음에서 설명하는 것은 무엇인지 쓰시오.

• 문장에서 동작이나 상태의 주체가 되는 말.
• 문장에서 '누가' 또는 '무엇이'에 해당하는 부분.

(　　　　　　)

4 다음 문장의 밑줄 그은 부분에 대한 설명으로 알맞은 것에 ○표 하시오.

나는 강아지를 <u>좋아한다.</u>

(1) 동작의 대상이 되는 말이다.　　　　　　　　　　　　　(　)

(2) '어떠하다'에 해당하는 말이다.　　　　　　　　　　　　(　)

(3) 주어의 움직임을 풀이하는 말이다.　　　　　　　　　　(　)

(4) 문장에서 꼭 필요하지 않은 성분이다.　　　　　　　　　(　)

5 다음 이야기를 읽고 떠올릴 수 있는 속담은 무엇입니까? ·· (   )

> 도술을 잘 부리고 죽지 않게 된 몸을 가지게 된 손오공은 세상 무서운 줄을 몰랐다. 손오공은 하늘나라에서 온갖 소동을 피웠지만 옥황상제마저도 손오공의 행동을 막을 수 없었다.
> 그러자 석가여래(부처)가 나타났다. 석가여래는 손오공에게 자신의 손바닥을 벗어나 보겠냐는 내기를 제안하였다. 손오공은 코웃음을 치며 ※근두운을 타고 멀리 날아갔다. 손오공은 한참을 날아가던 중 기둥 다섯 개가 보이자 세상의 끝에 왔다고 생각하였다. 손오공은 기둥에 '손오공 다녀가다'라는 낙서를 하고 돌아왔다. 석가여래에게 돌아온 손오공은 세상의 끝에 다녀왔다고 자랑하였다. 석가여래가 손으로 손오공을 감싸자 석가여래의 손가락에 손오공이 쓴 낙서가 있었다. 손오공이 낙서했던 다섯 개의 기둥은 바로 석가여래의 손가락이었던 것이다.
> 손오공은 석가여래의 힘이 대단하다는 것을 깨닫고 달아날 궁리를 하였다. 손오공이 다시 확인해 보겠다며 날아서 달아나려고 하는 순간 석가여래가 손오공을 손바닥으로 내리쳤다. 손오공은 석가여래 손바닥 아래 깔리게 되었고 그 손은 그대로 산이 되어 손오공은 빠져나올 수 없었다.
>
> ※ 근두운: 손오공이 타고 다니던 구름.

① 뛰어야 벼룩   ② 벼룩의 간을 내먹는다

③ 뛰면 벼룩이요 날면 파리   ④ 벼룩 꿇어앉을 땅도 없다

⑤ 뛰는 토끼 잡으려다 잡은 토끼 놓친다

6 다음 밑줄 그은 속담을 상황에 알맞게 쓴 것에 ○표 하시오.

(1) 일본의 역사 왜곡은 손바닥으로 하늘 가리기이다.   (   )

(2) 손바닥으로 하늘을 가린다고, 방금까지 옆에 있던 친구는 어디로 사라진 거지?   (   )

7 다음 밑줄 그은 관용어가 알맞게 쓰인 것은 무엇입니까? ·· (   )

① 이제 일손을 떼고 좀 쉬자.

② 농촌에서 농사철에는 늘 일손을 뗀다.

③ 아버지께서는 일손을 떼면 좀처럼 쉬지 않으신다.

④ 우리는 일손을 떼서 즐거운 마음으로 청소를 했다.

⑤ 친구는 일손을 떼서 모둠 활동을 같이 하면 모둠원들이 좋아한다.

8 다음 관용어의 뜻을 보고 빈칸에 알맞은 복합어(파생어)를 쓰시오.

> (   ) 벗고 나서다: 적극적으로 나서다.

#걸음

Q. 그림과 이어지는 해시태그(#)를 보고 알맞은 어휘를 골라 ☐에 V표 하시오.

① 헛걸음 ☐ / 제자리걸음 ☐ ⋯

오랜만에 책 좀 읽을까 했더니.

잘 됐다. 놀러 가자.

#걸음 #보람_없는 #도서관에_갔는데 #문을_닫았어

② 재다 ☐ / 굼뜨다 ☐ ⋯

빨리 와.

느릿..느릿...

#걸음 #느릿느릿 #답답 #굼벵이_같군

③ 성큼성큼 ☐ / 어기적어기적 ☐ ⋯

다리를 높이 들고 뜁니다!

지구 정복 훈련이 이렇게 힘들어야 해?

#걸음 #당당함 #거리낌_없이 #씩씩하게

④ 보행 ☐ / 보폭 ☐ ⋯

이렇게 발 사이의 거리를 넓혀서 걸으면 더 건강해진대.

도대체 얼마나 더 건강해지려고?

#걸음 #앞발과_뒷발_사이의_거리 #넓거나_좁거나

정답 ① 헛걸음 ② 굼뜨다 ③ 성큼성큼 ④ 보폭

① 헛걸음 / 제자리걸음

헛걸음

목적을 이루지 못하고 헛수고만 하고 가거나 옴. 또는 그런 걸음.

例 도서관에 갔는데 문을 닫아서 헛걸음만 하였다.

제자리걸음

상태가 나아가지 못하고 한자리에 머무르는 일. 경제에서 일정한 시기의 물건 값이 거의 바뀌어 달라지는 일 없이 계속되는 일.

例 회의가 결과 없이 언제나 제자리걸음이다.

Tip_
'걸음' 앞에 붙는 낱말에 따라서 의미가 달라짐.

'첫걸음'은 어떤 일의 시작

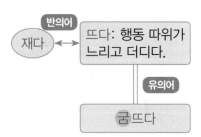

② 재다 / 굼뜨다

재다

동작이 재빠르다. 참을성이 모자라 조심성 없이 가볍게 함부로 말을 하다. 온도에 대한 물건의 반응이 빠르다.

例 집에 빨리 가고 싶어서 발걸음이 재다.

굼뜨다

동작, 진행, 과정 따위가 답답할 만큼 매우 느리다.

例 그렇게 굼떠서 언제 갈 거니?

반의어
재다 ↔ 뜨다: 행동 따위가 느리고 더디다.

유의어
굼뜨다

③ 성큼성큼 / 어기적어기적

성큼성큼

다리를 잇따라 높이 들어 크게 떼어 놓는 모양.

例 '황새걸음'은 '긴 다리로 성큼성큼 걷는 걸음'을 이르는 말이다.

어기적어기적

팔다리를 부자연스럽고 크게 움직이며 천천히 걷는 모양.

例 어기적어기적 걷는 모습이 어딘가 불편해 보인다.

Tip
'터벅터벅', '아장아장', '엉금엉금'과 같이 우리말에는 걷는 모습을 흉내 내는 여러 가지 말이 있음.

④ 보행 / 보폭

보행

걸어 다님.

例 공사 관계로 보행에 불편을 드려서 죄송합니다.

보폭

걸음을 걸을 때 앞발 뒤축(발 뒤쪽의 둥그런 부분 가운데 맨 뒤쪽의 두둑하게 나온 부분)에서 뒷발 뒤축까지의 거리.

例 종아리 근육이 발달하면 보폭이 넓다고 한다.

보폭

#걸음 #속담

Q. 그림과 이어지는 해시태그(#)를 보고 알맞은 속담을 골라 □에 V표 하시오.

천 리 길도 한 걸음부터 □ / 고양이 앞에 쥐걸음 □

#걸음 #일 #일단_시작부터_해

천 리 길도 한 걸음부터

무슨 일이나 그 일의 시작이 중요하다는 말. '리'는 거리의 단위로, '천 리'는 약 393킬로미터 정도임.

천 리 길도 한 걸음부터

어떤 일을   시작부터
하려면   해야 한다

나무까지 가려면 일단 여기에서부터 걷자.

고양이 앞에 쥐걸음

무서운 사람 앞에서 설설 기면서 꼼짝 못 한다는 말.

비슷한 뜻의 속담 고양이 앞에 쥐

고양이 앞에 쥐걸음

무서운   조마조마한 마음으로
사람   자세를 낮춤.

정답 천 리 길도 한 걸음부터

#걸음 #사자성어 🔍

Q. 그림과 이어지는 해시태그(#)를 보고 알맞은 사자성어를 골라 ☐에 V표 하시오.

🐰 등고자비 ☐ / 장족지세 ☐

#걸음 #수준 #쑥쑥 #정말_많이_나아졌어요!

등고자비	장족지세
높은 곳에 오르려면 낮은 곳에서부터 오른다는 뜻으로, 일을 순서대로 하여야 함을 이르는 말. 또는 지위가 높아질수록 자신을 낮춤을 이르는 말.	큰 걸음으로 성큼성큼 걸어가는 기세라는 뜻으로, 매우 빠른 속도로 수준이 나아지거나 높아지는 상태를 이르는 말.
	예 친구의 실력이 장족지세이다.

登 오를 등　高 높을 고　自 스스로 자　卑 낮을 비

높은 곳에 오르려면 → 낮은 곳에서부터 오른다

長 길 장　足 발 족　之 어조사 지　勢 형세 세

매우 빠른 속도로 → 나아지거나 높아짐.

'등고자비'는 '천 리 길도 한 걸음부터'와 비슷한 뜻이야.

장족지세로 성적이 올랐어.

정답 장족지세

1 보기의 빈칸에 공통으로 들어갈 낱말을, 첫 자음자를 참고하여 쓰시오.

보기

• 대형 마트 휴무일인 줄 모르고 갔다가 | ㅎ | ㄱ | ㅇ |만 하였다.

• 새해 일출을 보러 갔는데 짙은 구름 때문에 | ㅎ | ㄱ | ㅇ |을 하였다.

2 다음 (　　　) 안에 공통으로 들어갈 말에 ○표 하시오.

• 놀이공원에 가는 동생의 발걸음이 (　　　　).
• 그 사람한테는 비밀을 말할 수 없을 정도로 입이 (　　　　).

(재다 / 굼뜨다)

3 밑줄 그은 낱말이 문장의 내용에 알맞지 않은 것은 무엇입니까?⋯⋯⋯⋯⋯⋯⋯⋯ (　　　)

① 우리 안의 고릴라가 어기적어기적 걸었다.
② 친구가 교실 문 쪽으로 성큼성큼 걸어갔다.
③ 젊은이는 산꼭대기를 바라보며 성큼성큼 걸었다.
④ 황새가 성큼성큼 걷다가 물속으로 부리를 넣었다.
⑤ 주인은 손님이 붐비자 어기적어기적 다니며 음식을 날랐다.

4 다음 (　　　) 안에 알맞은 말을 이으시오.

(1) 범인을 찾기 위한 사건 수사가 여전히 (　　　)이다.　　•

　　•① 보폭

(2) 거리의 간판이나 현수막을 정비해서 (　　　) 안전 환경을 만들었다.　　•

　　•② 보행

(3) (　　　)을 넓혀서 걸으면 각종 성인병을 예방할 수 있다는 연구 결과가 있다.　　•

　　•③ 제자리걸음

5 다음 신문 기사의 밑줄 그은 부분과 뜻이 통하는 사자성어는 무엇입니까? ⋯⋯⋯⋯⋯⋯ ( )

> ○○ 축구단이 현재 프로 축구 대회에서 1위를 하고 있다. 지난해 이 축구단은 구단 순위에서 최하위를 기록한 바 있어서 놀라울 따름이다. 올해 이 축구단에 새로 부임한 감독은 이렇게 말했다. "제가 선수들에게 강조한 것은 두 가지입니다. 바로 역할과 자신감입니다. 먼저 자신의 역할이 무엇인지 알고 정확하게 수행하는 것 말이지요. 이렇게 역할이 무엇인지 알면 경기력 향상에도 도움이 될 뿐만 아니라 연습을 할 때도 무엇에 집중해야 하는지 알 수 있습니다. 그리고 선수들에게 자신감과 자부심을 가지고 더 높은 곳으로 올라갈 수 있다는 목표 의식을 가지라고 말하였습니다. 그리고 이 자신감은 제 자신에게도 해당되는 말이었습니다."
> 올해 ○○ 축구단은 경기마다 높은 득점력을 올리고 있고 선수들도 개인 최고 기록을 내고 있다. 작년의 모습을 생각하면 <u>선수들의 실력이 매우 빠르게 나아지고 있는 셈이다.</u>

① 언중유골　② 십시일반　③ 장족지세　④ 허송세월　⑤ 우왕좌왕

6 오른쪽 속담과 비슷한 뜻의 사자성어는 무엇입니까? ⋯⋯⋯⋯ ( )

> 천 리 길도 한 걸음부터

① 적반하장　② 자수성가　③ 일거양득
④ 등고자비　⑤ 결초보은

7 다음과 같은 상황에서 쓸 수 있는 속담은 무엇입니까? ⋯⋯⋯⋯⋯⋯⋯⋯⋯⋯⋯⋯ ( )

> 나치가 네덜란드를 점령하고 유대인들을 찾아내어 수용소로 끌고 가던 때, 독일 경찰들에게 발견된 유대인 가족의 모습

① 고양이 개 보듯　　　　　② 고양이 앞에 쥐걸음
③ 쥐가 쥐 꼬리를 물고　　④ 고양이가 알 낳을 노릇이다
⑤ 쥐도 들구멍 날구멍이 있다

8 다음 사자성어의 빈칸에 들어갈 한자가 알맞게 짝 지어진 것은 무엇입니까? ⋯⋯⋯⋯⋯ ( )

登		自	
오를 등	높을 고	스스로 자	낮을 비

① 左, 右　② 高, 卑　③ 大, 小　④ 長, 短　⑤ 黑, 白

#영양분

Q. 그림과 이어지는 해시태그(#)를 보고 알맞은 어휘를 골라 ☐에 V표 하시오.

① 🐰 양식 ☐ / 섭취 ☐ ···

♡ ◯ ◁   🔖

#영양분 #날마다#먹을거리 #감사하게

② 🐰 영양소 ☐ / 열량 ☐ ···

♡ ◯ ◁   🔖

#영양분 #음식물 #탄수화물 #지방
#단백질

③ 🐰 번식 ☐ / 번영 ☐ ···

♡ ◯ ◁   🔖

#영양분 #새끼 #씨앗 #많아져라

④ 🐰 발효 ☐ / 부패 ☐ ···

♡ ◯ ◁   🔖

#영양분 #효모 #이로운_물질
#된장이나_김치

정답 ① 양식 ② 영양소 ③ 번식 ④ 발효

①

양식
섭취

살기 위하여 필요한 사람의 먹을거리. 지식이나 물질, 생각 따위의 근본이나 원인이 되는 것을 비유적으로 이르는 말.

예 흥부는 양식 을 구하러 나섰다.

생물체가 양분 따위를 몸속에 빨아들이는 일.
고등 동물의 경우 먹거나 마시는 일을 통해 입으로 섭취하는 것이 대부분임.

▲ 양식을 섭취함.

②

영양소
열량

몸에 필요한 영양분이 있는 물질.
살아가는 데 필요한 에너지를 주고 자라는 데 필요하며 몸의 각 부분의 기능을 조절해 주는 일을 함.

음식에 들어 있는 에너지. 단위는 칼로리(Cal).
음식으로 얻는 열량보다 몸이 쓰는 열량이 적으면 살이 찌게 되는 것임.

③

번식
번영

동물이나 식물의 수가 늘어서 널리 퍼져 나가는 것.
동물은 짝짓기를 통해서 번식하고, 식물은 씨를 퍼트리기, 열매 맺기, 줄기로 수를 늘리기 등 여러 방법이 있음.

한창 왕성하게 일어나 퍼지고, 이름이 세상에 빛날 만하게 됨.
예 고구려는 광개토 대왕 때에 번 영 하였다

▲ 민들레 열매에는 우산 모양의 털이 있어서 바람에 날아가서 번식함.

④

발효
부패

효모나 세균 등의 미생물이 동물이나 식물 등의 생명체를 이루는 물질을 낱낱으로 만드는 작용.
발효가 되면 우리 생활에 필요하고 이로운 물질이 만들어지게 됨.

미생물에 의하여 썩는 것.
부패하면 좋지 않은 냄새가 나고 해로운 물질로 변함.
예 여름철에는 높은 온도 때문에 부 패 가 되기 쉽다.

▲ 발효가 되면 우리 몸에 좋은 유산균이 만들어짐.

#영양분 #속담

Q. 그림과 이어지는 해시태그(#)를 보고 알맞은 속담을 골라 ☐에 V표 하시오.

🐰 금강산도 식후경 ☐ / 썩어도 준치 ☐

먹고 타면 안 될까?

굴꺽

건전지도 파나요?

뭐 해? 빨리 놀이 기구 타러 가자.

♡ ○ ◁

#영양분 #재미있는_일도 #일단_배불리_먹고_나서

금강산도 식후경

아무리 재미있는 일이라도 배가 불러야 흥이 나지, 배가 고파서는 아무 일도 할 수 없음을 비유적으로 이르는 말.

예 금강산도 식후경이라고 놀이공원에 도착해서 도시락부터 먹었다.

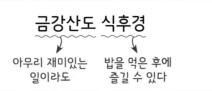

금강산도 식후경

아무리 재미있는 일이라도 / 밥을 먹은 후에 즐길 수 있다

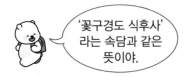

'꽃구경도 식후사'라는 속담과 같은 뜻이야.

썩어도 준치

본래 좋고 훌륭한 것은 비록 상해도 그 본디부터 가지고 있는 성질이나 모습에는 변함이 없음을 비유적으로 이르는 말.

예 썩어도 준치라고, 은퇴 직전의 야구 선수가 홈런을 쳤다.

썩어도 준치

상해도 / 훌륭하다

썩어도 준치라고 이 정도는 할 수 있지.

정답 금강산도 식후경

Q. 그림과 이어지는 해시태그(#)를 보고 알맞은 관용어를 골라 □에 V표 하시오.

🐰 밥 먹듯 하다 □ / 새끼를 치다 □

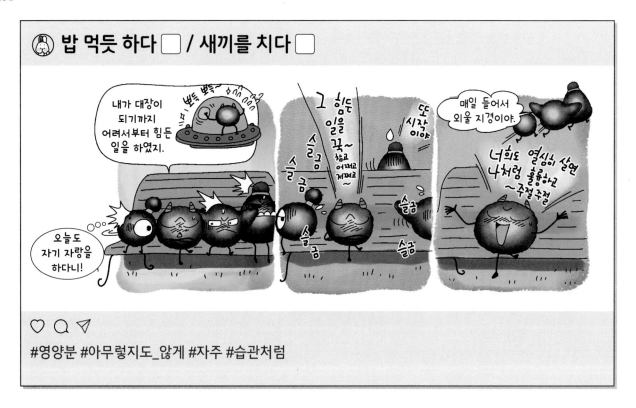

#영양분 #아무렇지도_않게 #자주 #습관처럼

밥 먹듯 하다	새끼를 치다
밥은 매일 일정하게 먹는 것임. 그래서 '밥 먹듯 하다'는 보통 일처럼 아무렇지도 않게 자주 하다 라는 말. 예 친구는 지각을 밥 먹 듯 한 다.	붙고 늘어서 많이 퍼지는 것처럼 본디 있는 것을 바탕으로 그 수효나 가치를 늘어나게 하거나 덧 붙여 불어나게 하다라는 말. 예 돈을 투자했더니 새 끼 를 쳐 서 제법 늘었다.

밥 먹듯 하다	새끼를 치다
↓	↓
자주	늘어나다

◀ 피노키오는 거짓말을 밥 먹듯 해서 코가 길어졌다.

◀ 소문이 새끼를 치더니 터무니없이 불어났다.

정답 밥 먹듯 하다

1 다음 빈칸에 공통으로 들어갈 말을, 첫 자음자를 바탕으로 쓰시오.

• 흥부네는 먹을 [ㅇ][ㅅ]이 다 떨어졌다.
• 책은 마음의 [ㅇ][ㅅ]이다.

2 다음 (   ) 안에 알맞은 말을 이으시오.

(1) 설탕 (   )를 줄이는 것이 건강에 좋다. •

(2) 뼈 건강에 좋은 (   )가 많은 식품이 무엇일까? •

(3) 성별이나 나이에 따라 하루에 꼭 필요한 (   )이 다르다. •

• ① 섭취

• ② 열량

• ③ 영양소

3 밑줄 그은 낱말이 알맞지 않게 쓰인 것은 무엇입니까?⋯⋯⋯⋯⋯⋯⋯⋯⋯⋯⋯⋯⋯⋯⋯ (   )

① 식물의 번식 방법은 여러 가지가 있다.
② 나라의 번영을 위해 애쓰는 사람들이 많다.
③ 나쁜 세균의 번식을 막기 위한 연구가 활발하다.
④ 멸종 위기 조류의 자연 번영 가능성이 커지고 있다.
⑤ 세계 평화와 번영을 위한 노력을 멈추지 말아야 한다.

4 다음에서 설명하는 현상은 무엇인지 쓰시오.

• 효모나 세균 등의 미생물이 동물이나 식물 등의 생명체를 이루는 물질을 낱낱으로 만드는 작용.
• 우리 생활에 필요하고 이로운 물질이 만들어지게 됨.
• 된장, 김치, 요구르트 따위가 이것을 이용한 식품으로 잘 알려져 있음.

(   )

5 다음 이야기에서 빈칸에 들어갈 말로 알맞은 것은 무엇입니까? ·· (   )

> 준치는 바닷물고기예요. 조선 시대에는 많이 잡히던 물고기였지만 요즈음에는 잡히는 양이 적어서 귀한 생선이 되었지요. 준치는 상당히 깊은 물에서 살아요. 그래서 높은 수압에 견디다 보니 몸의 살이 단단해요. 그리고 고기의 맛이 좋고 단백질과 비타민 B_1이 풍부해서 예로부터 아프고 나서 회복 중인 사람이나 몸이 허약한 노인, 아이들에게 준치로 만든 음식을 먹였다고 해요.
> 그래서 옛날 우리의 조상들은 "다른 생선은 모두 가짜이고 오직 준치만이 진짜 생선이다."라고 말하기도 했답니다.
> 이런 준치의 특성에서 나온 "썩어도 준치"라는 속담에는 '▢▢▢▢▢▢은 비록 상해도 그 본디부터 가지고 있는 성질이나 모습에는 변함이 없다.'라는 뜻이 담겨 있어요.

① 값이 싼 것　　　　　② 가시가 많은 것　　　　　③ 잘 잡히지 않는 것
④ 본래 좋고 훌륭한 것　　　⑤ 김치에 넣을 수 있는 것

6 다음 안내 방송의 (   ) 안에 알맞은 속담은 무엇입니까? ··· (   )

> 안녕하세요? 저희 관광 회사의 '○○ 지역 여행하기' 관광 상품을 이용해 주신 여러분께 먼저 감사의 말씀을 드립니다. 이 관광버스는 잠시 후 '○○ 지역'의 전통 시장에 멈추게 됩니다. (   )(이)라고 전통 시장과 주변의 향토 음식점에서 다양한 먹을거리를 즐기신 후에 다시 버스에 탑승해 주시기를 바랍니다.

① 산 넘어 산이다　　　　　　　　② 금강산도 식후경
③ 산에서 물고기 잡기　　　　　　　④ 산이 높아야 골이 깊다
⑤ 산도 허물고 바다도 메울 기세

7 다음과 같은 상황에서 쓸 수 있는 관용어를 쓰시오.

> • 친구가 거짓말을 자주 할 때
> • 십 년 넘게 같은 야구단이 프로 야구 대회에서 우승을 할 때

→ (   ) 먹듯 하다

8 다음 대화의 빈칸에 관용어가 완성되도록, 알맞은 낱말을 써넣으시오.

> 아빠: 아, 기분 좋다.
> 소율: 왜 기분이 좋으세요?
> 아빠: 아빠가 오래전에 주식 투자를 했는데 (   )를 쳐서 돈이 제법 늘었단다.

#감정

Q. 그림과 이어지는 해시태그(#)를 보고 알맞은 어휘를 골라 ☐ 에 V표 하시오.

① 무안하다 ☐ / 심란하다 ☐ ···

#감정 #실수 #부끄러움
#대하기가_힘드네

② 원망 ☐ / 실망 ☐ ···

#감정 #바라던 일 #뜻대로_안_됨.
#속상해

③ 인내심 ☐ / 의구심 ☐ ···

#감정 #믿을_수_없어 #혹시……

④ 기껍다 ☐ / 멋쩍다 ☐ ···

#감정 #티_내지_않고 #기뻐함.
#속으로_웃기

정답 ① 무안하다 ② 실망 ③ 의구심 ④ 기껍다

① 무안하다

수줍거나 창피하여 볼 낯이 없다.

예 나 때문에 이어달리기 경기에서 져서 무 안 하 다.

심란하다

마음이 어수선하다. [유의어] 심산하다

[주의] '심란하다'를 써야 하는 때에 '심난하다'라고 쓰는 경우가 많은데 '심난하다'는 '매우 어렵다'라는 뜻임.

Tip
'무안(無顔)'을 한자어 그대로 풀이하면 '얼굴이 없다.'라는 뜻. 부끄러워서 얼굴을 들지 못하거나 남을 대하기에 떳떳하지 못하다는 뜻임.

---

② 원망

못마땅하게 여기어 탓하거나 불평을 품고 미워함.

예 동생은 부모님께 꾸지람을 듣고 나를 원 망 하였다.

실망

희망을 잃거나 바라던 일이 뜻대로 되지 아니하여 마음이 몹시 상하고 안타까움.

예 너무 실 망 하지 마.

성적이 기대한 만큼 나오지 않아서 실망이야.

---

③ 인내심

괴로움이나 어려움을 참고 견디는 마음.

예 인 내 심 을 가지고 기다리면 좋은 일이 있을 거야.

의구심

믿지 못하고 두려워하는 마음. [유의어] 의심 [반의어] 확신

예 치료를 받아도 병이 낫지 않을 것 같은 의 구 심 이 든다.

Tip
'참을 인(忍) 자 셋이면 살인도 피한다'라는 속담은 어떤 경우에도 끝까지 참으면 무슨 일이든 이루지 못할 것이 없다는 뜻임.

---

④ 기껍다

마음속으로 은근히 기쁘다. '기꺼이'의 형태로 많이 쓰임.

예 친구가 나에게 부탁을 한 것이 은근히 기 꺼 웠 다.

멋쩍다

어색하고 쑥스럽다. 하는 짓이나 모양이 분수에 맞지 않다.

[주의] '멋적다'라 쓰지 않도록 함.

예 전학을 와서 친구들에게 인사를 하려니 멋 쩍 었 다.

기꺼이 도울게.

#감정 #속담

Q. 그림과 이어지는 해시태그(#)를 보고 알맞은 속담을 골라 □에 V표 하시오.

지렁이도 밟으면 꿈틀한다 □ / 참는 자에게 복이 있다 □

#감정 #무시하면 #화냄 #순하다고_만만하게_여기지_마

지렁이도 밟으면 꿈틀한다

아무리 눌려 지내는 하찮고 천한 사람이나 순하고 좋은 사람이라도 너무 낮추어 보거나 하찮게 여기면 가만있지 아니한다는 말.

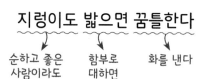

지렁이도 밟으면 꿈틀한다

순하고 좋은 사람이라도 → 함부로 대하면 → 화를 낸다

비슷한 뜻의 속담으로
'참새가 죽어도 짹 한다',
'굼벵이도 다치면 꿈틀한다',
'궁쥐에 빠진 쥐가 고양이를 문다',
'느린 소도 성낼 적이 있다'
등이 있어.

참는 자에게 복이 있다

억울하고 분한 일이라도 필요에 따라서는 꼭 참고 견디는 것이 가장 좋은 방법이나 수단임을 이르는 말.

참는 자에게 복이 있다

참는 것이 → 가장 좋은 방법이다

엄마가 15분 동안 과자를 먹지 않고 참으면 과자 한 봉지를 더 준다고 하셨어.

정답 지렁이도 밟으면 꿈틀한다

#감정 #사자성어 🔍

Q. 그림과 이어지는 해시태그(#)를 보고 알맞은 사자성어를 골라 ☐에 V표 하시오.

🐰 희로애락 ☐ / 일희일비 ☐

아빠께서 장난감을 사 주셔서 기뻤어.

형이 장난감을 밟아서 화났어.

장난감이 망가져서 슬펐지.

형이 장난감을 새로 사 줘서 즐거웠어.

용돈 모아 준비했다!

아, 미안~!

이별을 이렇게 빨리할 줄...

♡ ○ ◁

#감정 #기쁨 #노여움 #슬픔 #즐거움

희로애락

기쁨과 노여움, 슬픔과 즐거움이라는 뜻으로, 곧 사람의 여러 가지 감정을 이르는 말.
예 이 잘 드러나는 얼굴이다.

喜 怒 哀 樂
기쁠 희　성낼 로　슬플 애　즐거울 락

▲ 여러 가지 감정을 표현한 그림

일희일비

한편으로는 기뻐하고 한편으로는 슬퍼함. 또는 기쁨과 슬픔이 번갈아 일어남을 뜻하는 말.
예 신문 기사를 보면 하게 된다.

一 喜 一 悲
한 일　기쁠 희　한 일　슬플 비

감정이 크게 흔들리지 않고 평온한 상태를 '일희일비하지 않다'라고 해.

정답 희로애락

1 다음 빈칸에 공통으로 들어갈 말을, 첫 자음자를 참고하여 쓰시오.

> • 네가 원하던 대로 되지 않더라도 너무 ☐☐하지 마.
> • 선수는 올림픽 대회에서 메달을 따지 못하자 ☐☐하였다.
> • 아버지께서 선물을 주지 않자 동생은 ☐☐한 얼굴을 하였다.

ㅅ ㅁ

2 다음 문장의 밑줄 그은 말이 알맞지 <u>않은</u> 것은 무엇입니까? ·········· ( )

① <u>심란하여</u> 공부가 잘되지 않는다.
② 우리 집 개가 많이 아파서 <u>심란하다</u>.
③ 그 일을 할 생각을 하니 벌써부터 <u>심란하다</u>.
④ 아버지께서는 장사가 잘되지 않는다며 <u>심란해</u> 하셨다.
⑤ 그는 큰 부자가 된 후에 <u>심란했던</u> 어린 시절을 생각하며 눈물을 흘렸다.

3 다음 ( ) 안에 알맞은 낱말을 이으시오.

(1) ( )을 가지고 한참 동안 우는 아이를 달랬다. ·   · ① 원망

(2) 아무리 ( )해도 문제가 해결되지는 않는다. ·   · ② 인내심

4 다음 대화를 읽고 ◯ 안에 알맞은 글자를 써넣으시오.

> 기자: 건물 상가에 불이 나자 운행하던 버스를 멈추고 소화기를 들고 나가 불을 끈 시내버스 기사님을 만나 보겠습니다. 안녕하세요?
> 버스 기사: 대단하지도 않은 일이 알려져서 이렇게 인터뷰까지 하게 되니 멋◯네요. 그때 할 수
> 있었던 일을 한 것뿐입니다.　　　　　　└→ '어색하고 쑥스럽다'는 뜻임.

76 / 똑똑한 하루 어휘

5 다음 이야기의 ( ) 안에 알맞은 사자성어는 무엇입니까? ······················· ( )

신라 시대에 백결 선생이 있었다. 집이 매우 가난하여 옷을 백 군데나 기워 입어서 백결 선생이라고 불렸다. 그는 거문고를 가지고 다니면서 삶의 ( )을 거문고를 연주하면서 풀었다.

어느 날 백결 선생의 아내가 이웃에서 나는 방아 소리를 듣고 말하였다.

"다른 집은 모두 곡식이 있어서 방아를 찧는데 우리는 곡식이 없으니 어찌한단 말입니까?"

그러자 백결 선생이 말하였다.

"무릇 죽고 사는 것은 명에 달렸고 부유하고 가난한 것은 하늘에 매인 일이어서 사람의 힘으로는 어떻게 할 수 없는 일인데 당신은 무엇 때문에 걱정하는가?"

그러면서 백결 선생은 거문고를 연주하여서 방아 찧는 소리를 내어 아내를 위로해 주었다. 이때의 음악이 후세에 전하여 대악이라는 이름이 붙었다.

① 군계일학　　② 동고동락　　③ 애걸복걸　　④ 노발대발　　⑤ 희로애락

6 오른쪽 속담과 뜻이 비슷한 속담은 무엇입니까? ·················· ( )

지렁이도 밟으면 꿈틀한다

① 개천에서 용 난다　　　　　② 느린 소도 성낼 적이 있다

③ 원숭이도 나무에서 떨어진다　　④ 못된 송아지 엉덩이에 뿔 난다

⑤ 미꾸라지 한 마리가 온 웅덩이를 흐려 놓는다

7 다음 ( ) 안에 들어갈 속담으로 알맞은 것에 ○표 하시오.

( )(라)고 호랑이가 뛰쳐나간 후에도 묵묵히 쑥과 마늘을 먹으며 동굴에 있던 곰은 마침내 사람이 되었다.

(1) 벽에도 귀가 있다 ( )　　　　　(2) 참는 자에게 복이 있다 ( )

(3) 복 들어온 날 문 닫는다 ( )

8 다음 사자성어의 빈칸에 들어갈 한자가 알맞게 짝 지어진 것은 무엇입니까? ·························· ( )

一		一	
한 일	기쁠 희	한 일	슬플 비

① 喜, 悲　　② 哀, 樂　　③ 石, 鳥　　④ 擧, 得　　⑤ 片, 心

#고조선

Q. 그림과 이어지는 해시태그(#)를 보고 알맞은 어휘를 골라 ☐에 V표 하시오.

① 환인 ☐ / 환웅 ☐ ⋯

#고조선 #하늘에서_내려옴 #단군왕검의
_아버지 #태백산 #신단수

② 단군왕검 ☐ / 박혁거세 ☐ ⋯

환웅과 웅녀의 아들

#고조선 #웅녀의_아들 #제사장이자_왕

③ 토테미즘 ☐ / 샤머니즘 ☐ ⋯

#고조선 #숭배 #동물_식물_자연물
#부족의_상징

④ 수렵 채집 사회 ☐ / 농경 사회 ☐ ⋯

이게 농사 체험이라고?

#고조선 #농사 #날씨를_아는_것이_중요해

정답 ① 환웅 ② 단군왕검 ③ 토테미즘 ④ 농경 사회

① 환인 / 환웅

환인

단군 신화에 나오는 신으로, 환웅의 아버지임.

아들 환웅이 인간 세상에 뜻이 있음을 알고 청동 검, 청동 거울, 청동 방울을 주어서 인간 세상으로 내려보냄.

환웅

단군왕검의 아버지.

바람, 구름, 비를 다스리는 신과 함께 태백산 신단수 아래에 터전을 잡고 인간들을 다스림. 곰에서 사람으로 변한 웅녀와 결혼하여 단군왕검을 낳음.

② 단군왕검 / 박혁거세

단군왕검

우리나라 최초의 나라인 고조선을 세운 인물.

'단군'은 '하늘에 제사를 지내는 제사장'이라는 뜻이고 '왕검'은 '정치 지배자'의 뜻을 담고 있음.

박혁거세

신라의 첫 임금.

박처럼 생긴 큰 알에서 태어났다고 하여서 성을 '박'이라고 하고, 나라를 밝게 비추어 준다는 뜻으로 이름을 '혁거세'라고 함.

▲ 단군왕검

③ 토테미즘 / 샤머니즘

토테미즘

신석기 시대에 자기 씨족의 기원과 관련되거나 신성하게 여기는 동물, 식물, 자연물을 상징물로 만들어서 섬기는 신앙.

단군신화에서 웅녀는 곰을 섬기는 곰 부족을 뜻하는 것임.

샤머니즘

원시적 종교의 한 형태. 주문을 외우거나 술법을 부리는 샤먼이 신과 같은 초자연적 존재와 서로 통하면서, 그에 의하여 앞일을 점치거나 병 치료 따위를 하는 종교적 현상.

▲ 장승: 마을을 지켜 주는 역할을 한다고 믿음.

④ 수렵 채집 사회 / 농경 사회

수렵 채집 사회

야생 동물을 사냥하거나 야생 식물의 뿌리, 줄기, 열매 등을 캐거나 모아서 먹고살던 사회. 농경이 시작되기 이전의 사회이며 가축을 기르지도 않았음.

농경 사회

도구를 사용하여 농사를 지어서 먹고살던 사회.

한곳에 머물러 살면서 농사를 짓기 시작하면서 도구와 토기 같은 것을 만드는 기술이 발달하였음. 그리고 개와 같은 가축을 기르게 되었음.

▲ 수렵 채집 사회의 모습

#고조선 #속담

Q. 그림과 이어지는 해시태그(#)를 보고 알맞은 속담을 골라 □에 V표 하시오.

다 된 농사에 낫 들고 덤빈다 □ / 선무당이 사람 잡는다 □

#고조선 #끝 #갑자기_나타남. #이래라저래라

다 된 농사에 낫 들고 덤빈다

일이 다 끝난 뒤에 쓸데없이 나타나 그 일에 끼어들어 아는 체하거나 이래라저래라 하고 옳고 그름을 따지는 말다툼을 하고 다닌다는 말.

다 된 농사에 낫 들고 덤빈다

일이 다 끝난 뒤에 → 참견한다

비슷한 뜻의 속담으로 '열흘날 잔치에 열하룻날 병풍 친다'가 있어.

잔치가 끝난 뒤에 병풍을 치면 소용이 없다는 뜻이지.

선무당이 사람 잡는다

의술에 서투른 사람이 치료해 준다고 하다가 사람을 죽이기까지 한다는 뜻으로, 능력이 없어서 제구실을 못하면서 함부로 하다가 큰일을 저지르게 된다는 말.

선무당이 사람 잡는다

능력도 없는 사람이 함부로 하다가 → 큰일을 저지른다

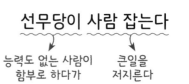

정답 다 된 농사에 낫 들고 덤빈다

Q. 그림과 이어지는 해시태그(#)를 보고 알맞은 한자성어를 골라 ☐에 V표 하시오.

홍익인간 ☐ / 제정일치 ☐

#고조선 #모두 #함께 #잘_살다

홍익인간	제정일치
'널리 인간을 이롭게 한다'라는 뜻. 단군왕검이 고조선을 세우면서 기본으로 삼은 생각으로, 모든 백성들을 이롭게 하여 모두가 함께 잘 살게 한다는 뜻이 담겨 있음.	제사와 정치가 일치한다는 사상. 또는 그런 정치 형태. 고대 사회에서 흔히 볼 수 있으며 정치적 지도자가 제사와 정치를 모두 담당하며 강력한 권력을 가졌음.

弘 益 人 間
클 홍　더할 익　사람 인　사이 간

祭 政 一 致
제사 제　정사 정　한 일　이를 치

'홍익인간'에는 인간을 최고의 가치를 지닌 존재로 존중한다는 뜻이 담겨 있어.

▲ 마니산 참성단: 단군왕검이 하늘에 제사를 지낸 곳

정답 홍익인간

1 다음에서 설명하는 사람의 이름을 쓰시오.

- 단군 신화에 나오는 신으로, 하늘에서 내려와 태백산 신단수 아래에 터전을 잡고 인간을 다스림.
- 곰이 사람으로 변한 웅녀와 결혼함.

(   )

2 다음 (   ) 안에 들어갈 인물을 알맞게 이으시오.

(1)   알에서 태어난 (   )는 후에 신라의 첫 임금이 된다.   ·   · ① 환인

(2)   (   )이 세웠다고 전해지는 우리나라 최초의 국가는 고조선이다.   ·   · ② 단군왕검

(3)   (   )은 단군 신화에 나오는 신으로, 아들을 인간 세상으로 내려보낸다.   ·   · ③ 박혁거세

3 다음에서 설명하는 것으로 알맞은 것에 ○표 하시오.

- 원시 신앙의 한 형태.
- 신성하게 여기는 동물, 식물, 자연물을 섬기는 신앙
- 단군 신화에 웅녀가 나오는 것으로 곰을 섬기는 부족이 있었다는 것을 알 수 있음.

(샤머니즘 / 토테미즘)

4 다음 중 농경 사회의 특징으로 알맞지 <u>않은</u> 것은 무엇입니까?·· (   )

① 가축을 기르지 않았다.

② 한곳에 머물러 살았다.

③ 농사를 짓기 위한 도구가 발달되었다.

④ 곡식을 보관하기 위한 토기가 발달되었다.

⑤ 수렵 채집 사회보다 발전된 사회의 형태이다.

5 다음 신문 기사와 관련된 속담은 무엇입니까? ·································· (   )

> 　최근 일반 독자를 대상으로 쉽게 풀어 쓴 의학서가 나와서 화제이다. 이 책은 한 대학 병원의 교수와 의학 신문의 전문 기자가 공동으로 쓴 책이다. 이 책은 우리 몸의 여러 질환의 증상, 원인과 치료 방법에 대하여 전문적인 정보를 주면서도 일반 독자들도 쉽게 이해할 수 있다는 것이 큰 특징이다.
>
> 　이 책을 쓴 ☐☐☐ 교수는 이렇게 말했다.
>
> 　"요즈음에는 일반인들도 의료 분야에 대한 관심이 높지만 정확하지 않은 정보가 많아지고 있는 것도 사실입니다. 의료 분야의 정확하지 않은 정보를 믿고 이를 행동으로 옮기게 되면 자칫 커다란 문제가 생길 수도 있습니다. 이 책을 통해 일반 독자들도 신뢰할 수 있는 과학적인 정보를 얻으시기를 바랍니다. 그리고 몸에 이상이 생기면 즉시 병원을 찾아 정확한 진단을 받은 후에 의사의 지시를 따르는 것이 좋습니다."

① 선무당이 사람 잡는다
② 굿이나 보고 떡이나 먹지
③ 선무당이 장구만 나무란다
④ 떡도 먹어 본 사람이 먹는다
⑤ 떡 줄 사람은 꿈도 안 꾸는데 김칫국부터 마신다

6 다음 속담을 쓸 수 있는 상황으로 알맞은 것에 ○표 하시오.

> 다 된 농사에 낫 들고 덤빈다

(1) 친구에게 거짓말을 하고 들킬까 봐 조마조마할 때 　　　　　　　（　　　）
(2) 반 대항 축구 대회에서 한 친구가 계속 실수를 할 때 　　　　　　　（　　　）
(3) 교실 청소가 다 끝난 뒤에 청소 도구를 가지고 올 때 　　　　　　　（　　　）

7 다음에서 설명하는 것을 쓰시오.

> • '널리 인간을 이롭게 한다'는 뜻으로 고조선의 건국 이념임.
> • 모든 백성들을 이롭게 하여 모두가 함께 잘 살게 한다는 뜻이 담겨 있음.

☐☐☐☐

8 다음에서 설명하는 것은 무엇입니까? ····································· (   )

> • 제사와 정치가 일치한다는 사상. 또는 그런 정치 형태.
> • '단군왕검'이라는 호칭에서 고조선 사회가 이 사회였다는 것을 알 수 있음.

① 제정일치
② 선민사상
③ 제천 의식
④ 세습 정치
⑤ 농경 문화

누구나 100점 TEST

1 다음 ◯ 안에 공통으로 들어갈 접두사를 쓰시오.

> • ◯발: 아무것도 신지 아니한 발.
>
> • ◯주먹: 아무것도 가지지 아니한 빈주먹.

(   )

2 다음 대화의 빈칸에 알맞은 속담에 ◯표 하시오.

> 공부하기 싫다고 나간 동생아, 어서 들어오렴. (   )(이)라고 엄마가 너 찾으러 가셨어.
>
> 알았어.

(1) 뛰어야 벼룩   (   )

(2) 꿩 먹고 알 먹기   (   )

3 다음 밑줄 그은 낱말의 쓰임이 알맞지 <u>않은</u> 것은 무엇입니까?·····(   )

① <u>성큼성큼</u> 걸어서 오렴.

② 실력이 <u>제자리걸음</u>이라서 속상하다.

③ 친구는 <u>보행</u>이 넓어서 나보다 빠르다.

④ 몸을 <u>재게</u> 움직여야 시간을 아낄 수 있다.

⑤ 맛집에 갔는데 문을 닫아서 <u>헛걸음</u>만 하였다.

4 다음 사자성어의 뜻을 알맞게 이으시오.

(1) 登高自卑 (등고자비) •

(2) 長足之勢 (장족지세) •

• ① 일을 순서대로 하여야 한다.

• ② 매우 빠른 속도로 수준이 나아지거나 높아지다.

5 다음은 이 식품의 예입니다. 빈칸에 알맞은 낱말을 써넣으시오.

▲ 김치   ▲ 된장

▲ 간장   ▲ 치즈

☐☐ 식품

6 밑줄 그은 속담이나 관용어를 활용하여 알맞게 말한 사람의 이름을 쓰시오.

이준: <u>금강산도 식후경</u>이라고 일단 모둠 수행 평가 준비를 하고 밥을 먹자.

진우: <u>썩어도 준치</u>라고 그 수영 선수의 기록이 별로 좋지 않아.

나은: 거짓말을 밥 먹듯 하던 친구가 결국 크게 후회를 하였어.

시현: 아버지께서 주식 투자한 돈이 새끼를 쳤다며 실망하셨어.

(   )

7 다음 첫 자음자와 가로, 세로 열쇠를 보고 빈칸에 알맞은 낱말을 써넣으시오.

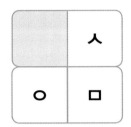

↓ 세로

희망을 잃거나 바라던 일이 뜻대로 되지 아니하여 마음이 몹시 상하고 안타까움.

예 비가 많이 와서 현장 체험학습이 취소되어서 ○○하였다.

→ 가로

못마땅하게 여기어 탓하거나 불평을 품고 미워함.

예 친구의 부탁을 들어주지 않자 친구가 나를 ○○하였다.

8 다음 그림의 싸우는 두 사람에게 말하고 싶은 속담으로 알맞은 것에 ○표 하시오.

"억울하고 분해도 참으세요."의 뜻임.

(1) 소 잃고 외양간 고친다 　(　)

(2) 참는 자에게 복이 있다 　(　)

(3) 낫 놓고 기역 자도 모른다 　(　)

9 다음 곰의 말에서 빈칸에 알맞은 인물을 쓰시오.

내가 사람이 되어 환웅과 결혼해서 낳은 (　　)이 고조선을 건국했어.

(　　　　　　　)

10 다음 빈칸에 알맞은 말을 보기 에서 찾아 쓰시오.

보기

토테미즘	샤머니즘
홍익인간	제정일치

(1) 고조선은 제사와 정치가 일치한

　[　　　　　] 사회였다.

(2) 고조선의 건국 이념은 '널리 인간을 이롭게

　한다'는 뜻의 [　　　　　]이다.

(3) 단군 신화의 웅녀는 곰을 섬기는 곰 부족을

　뜻하는 것으로, [　　　　　]의

　모습을 보여 준다.

명언 플러스

한 인간에게는 작은 걸음이지만 인류에게는 위대한 도약이다

불과 60여 년 전만 해도 우주에 인간이 간다는 생각은 그저 꿈일 뿐이었어.

달에 진짜 토끼가 살아요?

아무도 못 가 보았으니 모르지. 엄청 먼데 어떻게 가?

우주 시대를 처음 연 나라는 옛 소련이었어.

이에 위기를 느낀 미국은 인간을 태운 우주선 개발을 빨리 하려고 하였어.

아악! 또 실패!

실패를 거듭하던 1969년 7월, 세 명의 우주인을 태운 아폴로 11호를 성공적으로 발사하였지.

아폴로 11호는 무사히 목적지인 달에 착륙할 수 있었어.

드디어 사람이 달에 갔어요!

그 모습은 전 세계에 생중계되었지.

달에 첫발을 내디딘 사람은 닐 암스트롱이었어.

그는 그 감동을 이렇게 말했지.

한 인간에게는 작은 걸음이지만 인류에게는 위대한 도약이다.

그의 말처럼 작은 걸음은 인류에게 큰 자신감을 주었고
우주로 나가자!
우리도 할 수 있어.

이를 계기로 우주 시대의 다양한 도전이 시작되었지.
달 여행 가실 분!

작은 걸음에서 우주 시대가 시작된 것처럼 한 개인의 노력이 사회 전체를 바꾸는 원동력이 될 수 있어.

아프리카에 병원이 없다고?

▲ 슈바이처 의학 공부

▲ 아프리카에서 진료 시작

슈바이처 선생님처럼 봉사하겠습니다.

▲ 아프리카에 병원 설립

숙제 안 하고 어디 가?

공부 조금 하고 일 등이 되려는 생각은 저에게는 작은 걸음이지만 모든 초등학생에게는 위대한 도약이 될 것입니다.
갖다 붙이기는!

1 다음에서 설명하는 낱말을 말 상자에서 찾아 모두 ○표 하세요. 말 상자의 낱말은 가로, 세로, 대각선에 숨어 있습니다.

번	헛	동	사	단	재
식	★	걸	보	군	다
폭	인	★	음	왕	내
★	기	껍	다	검	★
심	박	세	★	발	농
혁	실	망	거	★	효

1 목적을 이루지 못하고 헛수고만 하고 가거나 옴.

2 동작이 재빠르다. 참을성이 모자라 조심성 없이 가볍게 함부로 말을 하다.

3 동물이나 식물의 수가 늘어서 널리 퍼져 나가는 것.

4 효모나 세균 등의 미생물이 동물이나 식물 등의 생명체를 이루는 물질을 낱낱으로 만드는 작용.

5 희망을 잃거나 바라던 일이 뜻대로 되지 아니하여 마음이 몹시 상하고 안타까움.

6 마음속으로 은근히 기쁘다.

7 우리나라 최초의 국가인 고조선을 세운 인물.

2 다음 대화를 읽고 속담의 ㉠~㉢에 들어갈 알맞은 낱말을 글자 칸에서 찾아 각각 쓰세요.

오빠, 정우가 내 그림에 물을 쏟아서 망쳐 놓고 스케치북을 숨기려고 책장에 꽂아 놓고 갔는데 내가 발견했어.

이런, 손바닥으로 ㉠ 을 가리려다가 들켰구나.

정우가 겁이 나서 친구네 집으로 도망갔는데 내가 가서 데리고 왔어.

하하. 뛰어야 ㉡ 이었네. 그래서 정우한테 많이 화냈니?

아니야. 하하, 화난 척만 했어. 사실 그 그림은 연습 삼아서 그린 것이고 내일 미술 시간에 제대로 그릴 거였거든.

잘했네. 화난 척만 했어도 정우가 겁을 많이 먹었겠다.

응. ㉢ 앞에 쥐걸음이지. 정우가 아껴 먹으려던 과자를 나한테 주는데, 너무 귀여워.

고	밥	낫	준	늘	벼
무	양	새	하	끼	사
룩	농	이	당	치	금

• ㉠: ☐ ☐   • ㉡: ☐ ☐   • ㉢: ☐ ☐ ☐

논리 탄탄

1 다음 단서를 보고 그 낱말이 있는 칸으로 이동하려고 합니다. 자신이 있는 위치에서 이동해야 할 방향을 알맞게 말한 사람을 쓰세요.

어떤 낱말일까요?

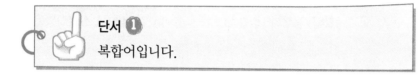

단서 ❶
복합어입니다.

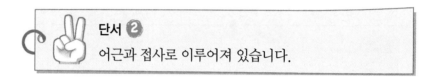

단서 ❷
어근과 접사로 이루어져 있습니다.

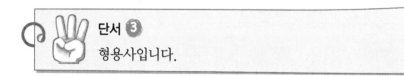

단서 ❸
형용사입니다.

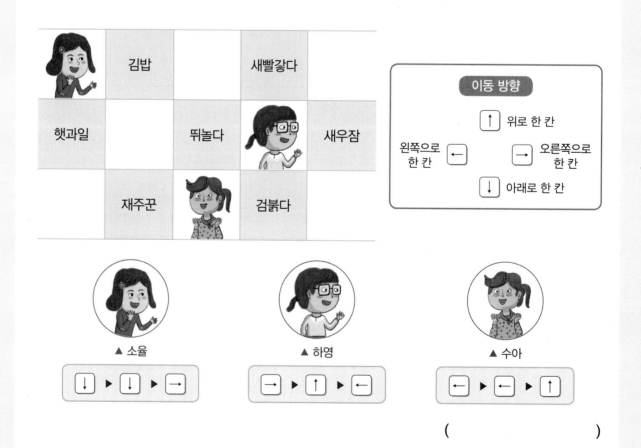

(   )

2 관용 표현이나 사자성어의 뜻이 알맞은 것을 따라 강을 무사히 건너 보세요.

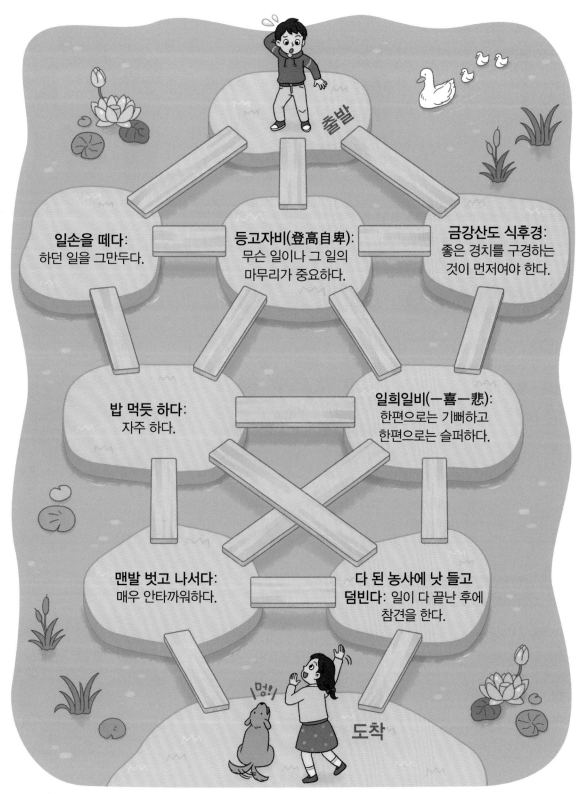

출발

일손을 떼다:
하던 일을 그만두다.

등고자비(登高自卑):
무슨 일이나 그 일의
마무리가 중요하다.

금강산도 식후경:
좋은 경치를 구경하는
것이 먼저여야 한다.

밥 먹듯 하다:
자주 하다.

일희일비(一喜一悲):
한편으로는 기뻐하고
한편으로는 슬퍼하다.

맨발 벗고 나서다:
매우 안타까워하다.

다 된 농사에 낫 들고
덤빈다: 일이 다 끝난 후에
참견을 한다.

멍!

도착

3주에는 무엇을 공부할까? ❶

1일 국어 > 설명

비교 / 대조
정의 / 예시
분류 / 분석
요점 / 개요

2일 생활 > 나무

침엽수 / 활엽수
산림 / 수풀
벌목 / 땔감
수목 / 재목

속담 열 번 찍어 아니 넘어가는 나무 없다 / 될성부른 나무는 떡잎부터 알아본다
사자성어 파죽지세 / 독야청청

3일 과학 > 생물

무생물 / 미생물
광합성 / 엽록체
공생 / 기생
먹이 사슬 /
먹이 그물

속담 구렁이 담 넘어가듯 / 벼룩의 간을 내먹는다
사자성어 형설지공 / 수어지교

4일 **생활 > 동물**

가축 / 짐승
야생 동물 / 반려동물
멸종 / 변종
까치발 / 오리발

우아, 가축이다!

우리집 동물 달리기 대회

반려동물 정말 귀엽다!

속담 닭 잡아먹고 오리 발 내놓기 / 고양이한테 생선을 맡기다
사자성어 호시탐탐 / 일석이조

5일 **사회 > 신분**

권위 / 세력
양반 / 천민
상민 / 중인
암행어사 /
탐관오리

양반도 조는구나.

안 졸았다니까!

나는 상민이란다.

속담 사또 덕분에 나팔 분다 / 평안 감사도 저 싫으면 그만이다
사자성어 호가호위 / 삼고초려

 관용어 플러스

경기가 끝나니 진이 다 빠졌네.

'진이 빠지다'는
무슨 뜻일까?

'정의'와 '예시'는 무엇일까?

정의
———
예시

1 다음 중 낱말과 그 예시가 바르게 짝 지어지지 <u>않은</u> 것은?

책	옷	과일

동화책, 소설책, 백과사전 등	색연필, 펜, 필통, 지우개 등	사과, 포도, 복숭아, 귤 등

(   )

*정의는 낱말의 뜻, 예시는 낱말의 본보기가 되는 사물

'공생'과 '기생'은 어떻게 다를까?

공생
———
기생

2 다음 낱말의 뜻을 읽고 알맞은 낱말에 ○표 하시오.

아~
도와줘서 고마워.
으~가려워 모기한테 또 물렸네!
모기 꿀
예이우.
공생?
기생?

공생: 서로 다른 생물이 도우며 함께 살아감.
기생: 서로 다른 생물 중 한쪽이 이익을 얻고 다른 쪽이 해를 입음.

➡ 악어와 악어새가 서로 도움을 주고받는 생활 방식을 (공생 / 기생)이라고 한다.

*공생은 모두에게 이익이 되는 것, 기생은 한쪽에만 이익이 되는 것

암행어사
―
탐관오리

*암행어사는 비밀리에 임금의 명을 수행하던 관리, 탐관오리는 행실이 깨끗하지 못한 관리

'암행어사'와 '탐관오리'는 어떻게 다를까?

3 다음 설명을 읽고 알맞은 낱말에 ○표 하시오.

백성의 어려움을 살펴서 개선하는 역할을 맡았던 관리.

(암행어사 / 탐관오리)

말이 씨가 된다

*무심코 한 말이 실제로 이루어진다

'말이 씨가 된다'는 무슨 뜻일까?

4 ㉠에 들어갈 말로 가장 알맞은 것은? (   )

① 진짜 했던 말대로 이루어졌네.

② 고기가 많이 잡혀서 정말 다행이야.

③ 미끼를 쓰지 않아도 고기가 더 잡힐 것 같은데?

#설명 🔍

Q. 그림과 이어지는 해시태그(#)를 보고 알맞은 어휘를 골라 ☐에 V표 하시오.

① 비교 ☐ / 대조 ☐

#설명 #대상의 #공통점 #찾기

② 정의 ☐ / 예시 ☐

#설명 #예를_들어 #알려_줄게

③ 분류 ☐ / 분석 ☐

#설명 #같은_것끼리 #묶어서 #정리하자

④ 요점 ☐ / 개요 ☐

#설명 #가장 #중요한_점

정답 ① 비교 ② 예시 ③ 분류 ④ 요점

① 비교 / 대조

비교

두 가지 이상의 대상에서 공통점을 찾아 설명하는 방법.

㉠ 자전거와 오토바이를 비교하면 탈것이라는 공통점이 있다.

比 較
견줄 비 견줄 교

대조

두 가지 이상의 대상에서 차이점을 찾아 설명하는 방법.

㉠ 자전거와 오토바이를 대조하면 오토바이는 연료가 있어야, 자전거는 연료 없이 움직인다는 점이다.

對 照
대할 대 비칠 조

설명하려는 대상 사이에 뚜렷한 공통점과 차이점이 있어야 비교와 대조를 할 수 있어.

② 정의 / 예시

정의

어떤 일이나 대상의 내용을 잘 알 수 있도록 밝혀 말하는 방법.

㉠ '설명'의 정의는 '어떤 일이나 대상의 내용을 상대가 잘 알 수 있도록 밝혀 말함'이다.

정 의
낱말의 뜻

대상의 뜻을 정하는 것

예시

어떤 대상에 대해 예를 들어 설명하는 방법. '예를 들어', '예컨대'와 같은 표현을 사용해서 구체적인 예를 나열함.

㉠ 설명 방법의 예시에는 비교, 대조, 열거 등이 있다.

예 시
낱말의 예

대상에 대한 구체적인 본보기를 제시하는 것

③ 분류 / 분석

분류

공통된 특성을 가진 것끼리 가르고 묶어서 설명하는 방법.

㉠ 동물을 종류에 따라 분류하면 조류, 파충류, 양서류 등이 있다.

분석

하나의 대상을 각각의 부분으로 나누어 설명하는 방법.

㉠ 식물의 구조를 분석하면 꽃, 줄기, 잎, 뿌리로 나눌 수 있다.

▲ 도서관에 책이 분류되어 있는 모습

④ 요점 / 개요

요점

가장 중요하고 중심이 되는 사실이나 생각.

㉠ 학급 게시판에 붙은 안내문의 요점은 다음 주에 교내 체육 대회가 열린다는 것이다.

개요

간결하게 추려 낸 주요 내용. 글을 쓰기 전에 만드는 전체적인 글의 틀.

㉠ 건의하는 글을 쓰기 위해 서론, 본론, 결론의 개요를 작성하였다.

Tip_
개요는 글을 쓰기 전에 주로 쓰고, 요점은 글의 내용을 간추릴 때 주로 살펴봄.

#설명 #속담

Q. 그림과 이어지는 해시태그(#)를 보고 알맞은 속담을 골라 □에 V표 하시오.

말이 말을 만든다 □ / 말이 씨가 된다 □

#설명 #입에서_입으로 #점점_불어나는 #소문

말이 말을 만든다

말은 사람의 입을 거치는 동안 그 내용이 과장되고 변한다는 말. 사람들이 말을 옮기면서 소문에 새로운 내용이 덧붙거나 잘못 전달되기도 한다는 의미임.

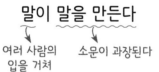

말이 말을 만든다

여러 사람의 입을 거쳐 ／ 소문이 과장된다

그 애가 그랬대. 헉!

말이 말을 만든다더니 소문이 엄청 커졌네.

말이 씨가 된다

늘 말하던 것이 마침내 사실대로 되었을 때를 이르는 말. 무심코 한 말이 실제로 이루어질 수 있으니 말조심을 해야 한다는 의미임.

말이 씨가 된다

자신이 한 말이 ／ 실제로 이루어진다

약속에 늦는다고 거짓말했는데 정말 말이 씨가 되었네.

정답 말이 말을 만든다

#설명 #사자성어

Q. 그림과 이어지는 해시태그(#)를 보고 알맞은 사자성어를 골라 ☐에 V표 하시오.

🐰 거두절미 ☐ / 금시초문 ☐

#설명 #머리와 #꼬리_떼고 #중요한_것만_말해요

거두절미

머리와 꼬리를 떼고 중심을 이야기한다는 뜻으로, 어떤 일의 가장 중요하고 중심이 되는 사실만 간단히 말함.

去 頭 截 尾
갈 거　머리 두　끊을 절　꼬리 미

머리도 없애고　꼬리도 없애다

학급 회의를 시작하겠습니다. 거두절미하고 핵심적인 의견을 말해 주세요.

금시초문

바로 지금 처음으로 들었다는 뜻.
예 짝이 전학 간다는 말은 금 시 초 문 이야.

今 始 初 聞
이제 금　비로소 시　처음 초　들을 문

이제　처음 들음.

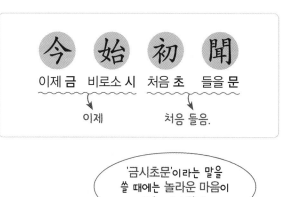

'금시초문'이라는 말을 쓸 때에는 놀라운 마음이 드는 때가 많아.

정답 거두절미

5단계 B / **99**

1 다음 낱말과 관련 있는 설명을 선으로 이으시오.

(1) 정의 ·

(2) 대조 ·

(3) 분석 ·

· ① 두 가지 이상의 대상에서 차이점을 찾아 설명하는 방법.

· ② 어떤 일이나 대상의 내용을 잘 알 수 있도록 밝혀 말하는 방법.

· ③ 하나의 대상을 각각의 부분으로 나누어 설명하는 방법.

2 빈칸에 알맞은 말을 보기 에서 찾아 써넣으시오.

보기

비교   예시   분류   개요

(1) 호랑이와 사자를 [ ][ ]하여 공통점을 찾았다.

(2) 그 책은 구체적인 [ ][ ]가 들어 있어 이해하기 쉽다.

(3) 글을 매끄럽게 쓰기 위해 먼저 [ ][ ]를 작성하였다.

3 다음 두 대상을 설명하기에 가장 알맞은 방법에 ○표 하시오.

▲ 자전거와 오토바이

(1) 일하는 차례에 따라 순서대로 설명한다.   (   )

(2) 의견을 뒷받침하는 예시를 들어 설명한다.   (   )

(3) 대상의 공통점과 차이점을 찾아 비교하여 설명한다.   (   )

4 다음 이야기의 밑줄 그은 부분과 관련 있는 속담은 어느 것입니까? ·······················( )

> 옛날 옛적, 백제에 서동이라는 아이가 살았다. 그 이름은 '마를 파는 아이'라는 뜻이였다. 어느 날, 서동은 시장에서 사람들이 하는 이야기를 들었다. 신라 진평왕의 셋째 딸인 선화 공주가 매우 아름답고 지혜롭다는 이야기였다. 서동은 선화 공주의 이야기가 머릿속에서 떠나지 않았다.
> 결국 서동은 신라를 향해 떠나 수도인 경주에 도착하였다. 그리고 골목을 돌아다니며 아이들에게 마를 나누어 주었다. 그리고 자신이 지은 노래를 가르쳐 주었다. 노랫말은 선화 공주가 몰래 서동과 사랑을 한다는 내용이었다.
> 아이들은 마을을 돌아다니며 노래를 불렀고, 그 노래가 입에서 입으로 전해지며 선화 공주에 대한 소문이 사람들 사이에 퍼지게 되었다. 나중에는 그 소문이 왕의 귀까지 들어가게 되었다. 결국 왕은 선화 공주를 꾸짖으며 귀양을 보내기로 하였다. 서동은 귀양을 가게 된 선화 공주를 자신이 모시겠다고 나섰다. 그러고는 선화 공주에게 용서를 구하며 그동안의 일을 사실대로 털어놓았다. 선화 공주는 서동의 용기와 지혜에 놀라며 결혼을 약속하였다. 훗날 서동은 백제의 무왕이 되었고, 선화 공주는 왕비의 자리에 오르게 되었다.

① 말이 말을 만든다
② 하룻강아지 범 무서운 줄 모른다
③ 뱁새가 황새를 따라가면 다리가 찢어진다
④ 자라 보고 놀란 가슴 솥뚜껑 보고 놀란다
⑤ 감나무 밑에 누워서 홍시 떨어지기를 기다린다

5 다음 속담과 관련된 설명을 골라 ○표 하시오.

> 말이 씨가 된다

(1) 늘 말하던 것이 사실대로 되었을 때를 이르는 말 ( )
(2) 말은 사람의 입을 거치는 동안 그 내용이 과장되고 변한다는 말 ( )
(3) 내가 남에게 말이나 행동을 좋게 해야 남도 나에게 좋게 한다는 말 ( )

6 다음 낱말의 첫 자음자를 참고하여 빈칸에 알맞은 사자성어를 써넣으시오.

> 🔴뜻 머리와 꼬리를 떼고 중심을 이야기한다는 뜻으로, 어떤 일의 요점만 간단히 말함.
> 🔴예 "○○○○하고, 중요한 것만 말해 봐."

ㄱ	ㄷ	ㅈ	ㅁ

#나무

Q. 그림과 이어지는 해시태그(#)를 보고 알맞은 어휘를 골라 □에 V표 하시오.

① 침엽수 □ / 활엽수 □ ···

애들아, 이건 ○○○야. 잎을 한번 만져 봐.

앗, 따가워! 나무에 바늘이 달려 있네.

앗, 따가워!

#나무 #잎 #바늘처럼 #뾰족뾰족

② 산림 □ / 수풀 □ ···

헤헤... 지구 정복 훈련 헤헤... 헤헤 헤헤

대장, 너무 힘들어!

○○만 지나면 곧 도착할 거야.

#나무 #풀 #덩굴 #잔뜩 #우거진_곳

③ 벌목 □ / 땔감 □ ···

오, 안녕? 너희도 이 나무처럼 불을 피울 때 쓰이니?

#나무 #불_피울_때 #꼭_필요해

④ 수목 □ / 재목 □ ···

가구 만들기 대회 우승자는 쌍뿔! 좋은 ○○으로 나무 책상을 만들었군요.

쌍뿔~!!!

#나무 #집 #가구 #만드는_재료

정답 ① 침엽수 ② 수풀 ③ 땔감 ④ 재목

①

침엽수

활엽수

식물의 잎이 뾰족한 모양인 나무의 종류. 소나무, 잣나무, 향나무 등이 있음.

㉠ 침 엽 수 는 추위에 강하다.

식물의 잎이 평평하고 넓은 나무의 종류. 떡갈나무, 뽕나무, 상수리나무 등이 있음.

㉠ 활 엽 수 는 가을에 멋진 단풍을 보여 준다.

▲ 활엽수의 하나인 떡갈나무

---

②

산림

수풀

산과 숲, 또는 산에 있는 숲. 나무가 집단적으로 자라고 있는 토지를 가리킴.

㉠ 소중한 산 림 을 보호해야 한다.

나무들이 무성하게 우거지거나 꽉 들어찬 것. 또는 풀이나 덩굴 따위가 한데 엉킨 것.

㉠ 우리는 수 풀 을 헤치고 걸어갔다.

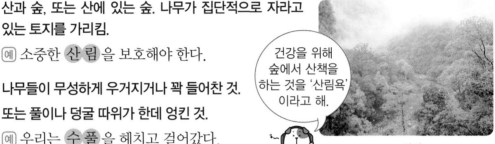

건강을 위해 숲에서 산책을 하는 것을 '산림욕' 이라고 해.

▲ 산림

---

③

벌목

땔감

산이나 숲의 나무를 벰.

㉠ 무분별한 벌 목 으로 인해 산림이 파괴될 위험에 처했다.

불을 피우는 데 쓰는 나무 등의 재료. 옛날에 아궁이 등에 불을 지필 때 주로 사용하였음.

㉠ 아버지는 겨울을 대비해서 땔 감 을 쌓아 두셨다.

Tip_

옛날에는 땔감으로 산의 나무을 이용하였으나, 현대에는 가정용 난방 에너지로 석탄, 석유 등을 주로 이용하게 됨.

---

④

수목

재목

살아 있는 나무를 이르는 말.

㉠ 수 목 원에는 다양한 종류의 꽃과 나무들이 많이 있다.

건축물이나 기구 따위를 만드는 데 쓰는 나무. 또는 어떤 일을 할 수 있는 능력을 가졌거나 어떤 자리에 꼭 알맞은 인물을 가리킴.

㉠ 집 지을 재 목 을 마련하다.

Tip_

재목과 비슷한 낱말로 '목재'가 있음.
목재는 여러 가지 물건의 재료로 쓰이는 나무를 말함.

#나무 #속담

Q. 그림과 이어지는 해시태그(#)를 보고 알맞은 속담을 골라 □에 V표 하시오.

열 번 찍어 아니 넘어가는 나무 없다 □ / 될성부른 나무는 떡잎부터 알아본다 □

어린 선수가 저렇게 잘 하다니. 커서 훌륭한 선수가 되겠어.

#나무 #어릴_때부터 #뛰어난 #능력

열 번 찍어 아니 넘어가는 나무 없다

어려워 보이는 일도 여러 번 시도하면 이루어진 다는 말. 또한, 아무리 고집이 센 사람이라도 여러 번 권하거나 달래면 결국은 마음이 변한다는 말.

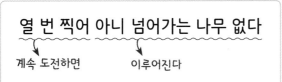

열 번 찍어 아니 넘어가는 나무 없다
계속 도전하면   이루어진다

어쩔 수 없지. 이번 만이야.

엄마, 제발 핸드폰 새로 사 주시면 안 돼요?

될성부른 나무는 떡잎부터 알아본다

잘 될 사람은 어려서부터 남달리 앞으로 성공하 거나 크게 잘될 수 있는 가능성이 엿보인다는 말.

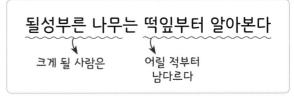

될성부른 나무는 떡잎부터 알아본다
크게 될 사람은   어릴 적부터 남다르다

될성부른 나무는 떡잎부터 알아본다고, 어릴 때부터 축구를 정말 잘했네.

정답 될성부른 나무는 떡잎부터 알아본다

#나무 #사자성어

Q. 그림과 이어지는 해시태그(#)를 보고 알맞은 사자성어를 골라 □에 V표 하시오.

파죽지세

대나무를 쪼개듯이, 적을 거침없이 물리치고 쳐들어가는 기세를 이르는 말.

독야청청

남들이 모두 의지를 꺾는 상황 속에서도 홀로 결심을 굳세게 지키고 있음을 비유적으로 이르는 말.

정답 파죽지세

1 다음 뜻에 알맞은 낱말은 무엇입니까? ⋯⋯⋯⋯⋯⋯⋯⋯⋯⋯⋯⋯⋯⋯⋯⋯⋯⋯⋯⋯⋯⋯ ( )

> 건축물이나 기구 따위를 만드는 데 쓰는 나무.

① 수풀   ② 재목   ③ 벌목   ④ 산림   ⑤ 침엽수

2 다음 중 밑줄 그은 '산림'이 알맞게 쓰이지 <u>않은</u> 것은 무엇입니까? ⋯⋯⋯⋯⋯⋯⋯ ( )

① <u>산림</u>을 소중히 여기고 보호해야 한다.

② <u>산림</u>이 파괴되면 산사태가 일어나기 쉽다.

③ 아궁이에 불을 피울 때 넣는 나무를 <u>산림</u>이라고 한다.

④ <u>산림</u>을 보호하기 위하여 등산객들의 입산을 제한하였다.

⑤ 무리한 <u>산림</u> 개발로 많은 동식물이 멸종 위기에 처해 있다.

3 다음 [ ] 안에 들어갈 낱말을 찾아 선으로 이으시오.

(1) 뒷산에서 난로에 넣을 [ ]을 구했다.   •   • ① 침엽수

(2) 소나무는 잎이 뾰족한 [ ]의 한 종류이다.   •   • ② 땔감

4 나무와 관련된 낱말이 <u>어색한</u> 문장에 ×표 하시오.

(1) 그 거리에는 <u>활엽수</u>가 양쪽으로 길게 늘어서 있다.   ( )

(2) 많은 <u>벌목</u>을 통해 산림을 보호할 수 있다.   ( )

(3) 덩굴이 우거진 <u>수풀</u>을 지나자 마을이 나왔다.   ( )

5 다음 이야기를 읽고, 밑줄 그은 부분과 관련 있는 사자성어로 알맞은 것을 골라 ○표 하시오.

> 중국 진나라의 두예가 삼국 통일을 이룰 때의 이야기이다. 당시 진나라는 오나라와 대립 관계를 이루고 있었다. 진나라의 왕 무제는 장군인 두예에게 오나라를 공격하라는 명령을 내렸다. 두예는 장수들과 오나라를 공격할 마지막 작전 회의를 열었다.
>
> 한 장수가 이렇게 말했다.
>
> "지금 당장 오나라의 도읍을 치기는 어렵습니다. 이제 곧 잦은 봄비로 강물이 넘칠 것이고, 또 언제 전염병이 발생할지 모르기 때문입니다. 그러니 우선 물러났다가 겨울에 다시 공격하는 것이 어떻겠습니까?"
>
> 장수의 말에 찬성하는 이들도 많았지만, 두예는 단호하게 이렇게 말했다.
>
> "그건 안 될 말이오. 지금 우리 군사들의 사기는 마치 '대나무를 쪼개는 기세'와 같소. 대나무란 처음 두세 마디만 쪼개면 그다음부터는 칼날이 닿기만 해도 저절로 쪼개지는 법인데, 어찌 이러한 절호의 기회를 버린단 말이오?"
>
> 이후 두예는 군사를 이끌고 오나라를 공격하여 단순에 무너뜨렸고, 삼국을 통일할 수 있었다.

(독야청청 / 파죽지세)

6 속담 "될성부른 나무는 떡잎부터 알아본다"의 뜻을 쓸 수 있는 상황은 무엇입니까? ············ (   )

① 영화관에서 친구와 만나기로 했을 때

② 토론에서 나의 생각을 강하게 주장할 때

③ 회의에서 모두가 의견을 하나로 모을 때

④ 어릴 때부터 유난히 능력이 뛰어난 사람을 보았을 때

⑤ 저축을 하지 않고 돈을 함부로 쓰는 친구에게 이야기할 때

7 다음은 어떤 속담에 대한 설명입니까? ···(   )

> • 어려워 보이는 일도 여러 번 시도하면 이루어짐.
> • 마음이 굳은 사람이라도 여러 번 권하거나 달래면 마음이 변할 수 있음.

① 꿩 먹고 알 먹는다

② 작은 고추가 더 맵다

③ 세 살 적 버릇이 여든까지 간다

④ 사공이 많으면 배가 산으로 간다

⑤ 열 번 찍어 아니 넘어가는 나무 없다

#생물

Q. 그림과 이어지는 해시태그(#)를 보고 알맞은 어휘를 골라 □에 V표 하시오.

① 무생물 □ / 미생물 □ ⋯

#생물 #먼지는 #생명 #없음

② 광합성 □ / 엽록체 □ ⋯

#생물 #식물 #빛 #이산화_탄소
#물 #양분으로_바뀌어라!

③ 공생 □ / 기생 □ ⋯

#생물 #너도_좋고 #나도_좋고
#모두에게_이익

④ 먹이 사슬 □ / 먹이 그물 □ ⋯

#생물 #서로_먹고_먹히는_관계
#고리로_만든_줄처럼_이어져

정답 **①** 무생물 **②** 광합성 **③** 공생 **④** 먹이 사슬

① 무생물

생물이 아닌 물건. 세포로 이루어지지 않은 돌, 물, 흙 따위를 이름.

예 모든 물질은 생물과 무생물로 나뉜다.

미생물

눈으로는 볼 수 없는 아주 작은 생물. 보통 세균, 효모 따위를 이름.

예 학생들은 현미경을 통해 미생물을 관찰했다.

▲ 미생물인 유산균은 발효
에 이용됨.

식물은 광합성을 해야
잘 자랄 수 있어.

② 광합성

녹색 식물이 빛 에너지를 이용하여, 흡수된 이산화 탄소와 수분을 양분
과 산소로 바꾸는 작용.

예 식물의 성장에 있어 광합성은 중요한 과정 중 하나이다.

엽록체

식물 잎의 세포 안에 함유된 둥근 모양 또는 타원형의 작은 기관.

광합성이 일어나는 곳으로 엽록체에서 양분과 산소가 만들어짐.

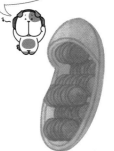

▲ 엽록체

③ 공생

서로 다른 종류의 생물이 같은 곳에서 살며 서로에게 이익
을 주며 함께 사는 일.

예 말미잘과 흰동가리는 서로 공생 관계에 있다.

기생

서로 다른 종류의 생물이 함께 생활하며, 한쪽이 이익을 얻
고 다른 쪽이 해를 입고 있는 일.

예 오리는 벼에 기생하는 해충을 잡아먹는다.

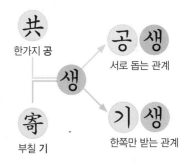

共 한가지 공

寄 부칠 기

생

공생 서로 돕는 관계

기생 한쪽만 받는 관계

④ 먹이 사슬

생물 사이의 먹고 먹히는 관계가 마치 사슬처럼 연결되어 있는
것.

예 먹이 사슬은 생산자에서 소비자까지 이어진다.

먹이 그물

생태계에서 여러 생물의 먹이 사슬이 가로세로로 얽혀서, 그물처
럼 복잡하게 이루어져 있는 먹이 관계.

예 생태계의 평형은 먹이 그물이 유지될 때 이루어진다.

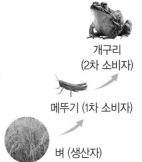

개구리
(2차 소비자)

메뚜기 (1차 소비자)

벼 (생산자)

▲ 먹이 사슬

#생물 #속담

Q. 그림과 이어지는 해시태그(#)를 보고 알맞은 속담을 골라 □에 V표 하시오.

구렁이 담 넘어가듯 □ / 벼룩의 간을 내먹는다 □

#생물 #작은 #이익이라도 #얻으려는_모습

구렁이 담 넘어가듯

일을 분명하게 처리하지 않고 남이 모르는 사이에 슬그머니 얼버무려 버리는 모양을 비유적으로 이르는 말.

구렁이 담 넘어가듯
↓
슬그머니 넘어가려는
모양

벌써 몇 번째니? 자꾸 구렁이 담 넘어가듯 늦을래?

늦어서 죄송해요. 버스가 고장 났어요.

벼룩의 간을 내먹는다

어려운 처지에 있는 사람에게서 조그만 이익까지 얻어 내려는 모습을 비유적으로 이르는 말.

벼룩의 간을 내먹는다
↓   ↓
매우 가난한   빼앗다
사람의 것을

벼룩의 간을 내먹는다더니, 나는 그것 하나뿐이라고!

정답 벼룩의 간을 내먹는다

Q. 그림과 이어지는 해시태그(#)를 보고 알맞은 사자성어를 골라 ☐에 V표 하시오.

🐰 형설지공 ☐ / 수어지교 ☐

#생물 #떨어질_수_없는 #친한_사이

형설지공

반딧불이와 눈과 함께 공부하여 이룬 결과라는 뜻으로, 고생을 하면서 부지런하고 꾸준하게 공부하는 자세를 이르는 말.

螢 雪 之 功
반딧불이 형 눈 설 어조사 지 공 공

반딧불이의 불빛과 눈의 빛으로 → 이루어 낸 성과

형설지공의 노력으로 열심히 공부해서 성공을 거두었대.

수어지교

물이 없으면 살 수 없는 물고기와 물의 관계라는 뜻으로, 아주 친밀하여 떨어질 수 없는 사이를 비유적으로 이르는 말.

水 魚 之 交
물 수 물고기 어 어조사 지 사귈 교

물과 물고기처럼 → 떨어질 수 없는 관계

옛날에는 임금과 신하의 관계를 수어지교라고 했대.

정답 수어지교

1 다음 빈칸에 들어갈 알맞은 말을 첫 자음자를 참고하여 쓰시오.

> 식물은 [   ]을 통해 성장을 합니다. 태양에서 얻은 빛 에너지를 사용하여 흡수한 이산화 탄소와 수분을 성장에 필요한 양분과 산소로 바꿉니다.

| ㄱ | ㅎ | ㅅ |

2 눈으로 볼 수 없는 아주 작은 생물을 무엇이라고 합니까? ·································· (   )

① 세포   ② 미생물   ③ 무생물

④ 기관   ⑤ 엽록체

3 다음 중 먹이 사슬과 먹이 그물에 관해 알맞게 말하지 <u>못한</u> 사람은 누구인지 쓰시오.

> 지인: 먹이 사슬은 생물들끼리 먹고 먹히는 것을 중심으로 형성된 관계를 말해.
> 가연: 먹이 사슬은 서로 다른 생물이 함께 생활하며 한쪽은 이익을 얻고 다른 쪽은 해를 입는 관계를 말해.
> 예진: 먹이 그물은 여러 생물의 먹이 사슬이 얽혀서 그물처럼 이루어진 먹이 관계를 말해.

(   )

4 다음에서 설명하는 관계로 알맞은 것에 ○표 하시오.

> • 악어새는 악어의 이빨에 낀 찌꺼기를 제거해 주고 먹이를 얻는다.
> • 말미잘은 흰동가리의 휴식처가 되어 주고, 흰동가리는 말미잘에게 먹이를 유인해 주는 역할을 한다.

(공생 / 기생) 관계

5 다음 밑줄 그은 부분과 관련 있는 사자성어로 알맞은 것은 무엇입니까? ·· (   )

> 　진나라에 차윤이라는 소년이 살았다. 그는 어린 시절부터 성실하고 부지런하여 공부를 열심히 하였다. 하지만 집안이 가난해 촛불을 켜는 데 사용하는 기름조차 없었다.
> 　차윤은 밤에도 책을 읽고 싶었다. 그래서 생각한 끝에 얇은 주머니를 벌레 통처럼 만들어서 그 속에 반딧불이를 수십 마리 집어넣었다. 그러자 주머니 틈으로 밝은 빛이 비치기 시작하였다. 차윤은 주머니 틈새로 나오는 빛으로 책을 비추어 읽었다. 이러한 노력을 통해 그는 훗날 높은 관리에 오를 수 있었다.
> 　같은 시대에 손강이라는 소년이 있었다. 손강은 어릴 때부터 나쁜 친구들과 사귀지 않고 열심히 공부를 했으나 차윤과 같이 집안이 가난해 등불을 켤 기름을 살 수가 없었다.
> 　겨울이 되자 눈이 집 근처에 소복이 쌓였다. 눈 위에 달빛이 반사되며 하얗게 빛나기 시작했다. 손강은 겨울날 추위를 견디며 창으로 몸을 내밀고 쌓인 눈에 반사되는 달빛에 책을 비추어 읽었다. 손강은 추위를 견뎌 가며 열심히 공부한 끝에 높은 관청의 장관에 오를 수 있었다.

① 조삼모사　　　　　② 형설지공　　　　　③ 타산지석
④ 마이동풍　　　　　⑤ 고진감래

6 다음 속담에 대한 설명으로 알맞은 것은 무엇입니까? ·· (   )

> 벼룩의 간을 내먹는다

① 어떤 일이든 상대방의 처지에서 생각해 보아야 한다.
② 끝까지 한 가지 일을 꾸준히 하면 목적을 달성할 수 있다.
③ 자신의 능력 밖의 불가능한 일에 대해서는 욕심을 내지 않아야 한다.
④ 나쁜 일이 있어도 끊임없이 노력하면 불행을 행복으로 바꿀 수 있다.
⑤ 어려운 처지에 있는 사람에게서 조그만 이익이라도 얻어 내려고 한다.

7 다음 그림과 관련 있는 사자성어를 골라 ○표 하시오.

제일 친한 친구들이지.

우리는 떼려야 뗄 수 없는 친구 사이야!

(수어지교 / 일석이조)

#동물

Q. 그림과 이어지는 해시태그(#)를 보고 알맞은 어휘를 골라 □에 V표 하시오.

① 가축 □ / 짐승 □

○○들이 엄청 많네!

#동물 #목장에서 #집에서 #기르는_동물

② 야생 동물 □ / 반려동물 □

우리집 동물 달리기 대회

오, ○○○○ 달리기 대회를 하나 보다.

#동물 #사람과_함께_지내는_동물 #소중해

③ 멸종 □ / 변종 □

○○ 먼지인 이래요!

와하하, 이게 뭐야!

우리의 성질이 달라졌나 봐.

#동물 #변해_버린_모습 #달라졌네

④ 까치발 □ / 오리발 □

네가 내 선글라스 부러뜨렸지? ○○○ 내밀 생각 하지 마.

사실 난데 어떡하지?

무슨 소리야, 절대 아니라고!

#동물 #모른_척 #나_아니야!

정답 ① 가축 ② 반려동물 ③ 변종 ④ 오리발

① **가축**

집에서 기르는 동물.
사람들의 생활에 유용한 동물을 통틀어 이르는 말로, 주로 축산물을 제공함.
⟮예⟯ 가축에는 소, 말, 돼지, 닭, 개 등이 있다.

짐승

몸에 털이 나고 발이 네 개인 동물.
주로 사람이 아닌 동물을 이르는 말.
⟮예⟯ 사냥꾼이 숲속에서 짐승을 쫓는다.

② **야생 동물**

산이나 들에서 저절로 나서 자라는 동물.
새, 사슴, 물고기, 다람쥐, 뱀 등이 있음.
⟮예⟯ 야생 동물의 생활을 관찰하다.

반려동물

사람이 정서적으로 의지하고자 가까이 두고 기르는 동물.
⟮예⟯ 반려동물을 아끼고 사랑해야 한다.

Tip_
야생 동물은 사람의 손이 닿지 않는 **동물**, 반려동물은 사람과 더불어 살아가는 **동물**.

③ **멸종**

한 생물의 수가 줄어들다가 결국 지구상에서 완전히 사라져 버림.
공룡, 매머드, 도도새 등이 있음.
⟮예⟯ 멸종 위기에 놓인 야생 동물을 보호해야 한다.

변종

같은 종류의 생물 가운데 변이가 생겨서 성질과 형태가 달라진 종류.
⟮예⟯ 장미는 2만여 종의 변종이 재배되고 있다.

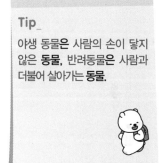

▲ 멸종 위기 동물 중 하나인 '수달'

④ **까치발**

키를 높이기 위하여 발뒤꿈치를 든 발.
주로 높은 곳에 잘 닿지 않는 모습을 표현할 때 사용함.
⟮예⟯ 까치발을 하고 책장에 손을 뻗었지만 닿지 않았다.

오리발

엉뚱하게 딴전을 부리는 태도를 속되게 이르는 말.
⟮예⟯ 시치미를 뚝 떼고 오리발을 내밀다.

Tip_
'괴발개발'은 고양이의 발과 개의 발이라는 뜻으로, 글씨를 아무렇게나 써 놓은 모양을 이르는 말.
⟮예⟯ 아이가 괴발개발 써 놓은 낙서를 알아볼 수 없었다.

#동물 #속담

Q. 그림과 이어지는 해시태그(#)를 보고 알맞은 속담을 골라 □에 V표 하시오.

닭 잡아먹고 오리 발 내놓기 □ / 고양이한테 생선을 맡기다 □

#동물 #믿음이 #안_가네 #불안해

닭 잡아먹고 오리 발 내놓기

옳지 못한 일을 저질러 놓고, 엉뚱한 말이나 행동, 계획으로 속여 넘기려 하는 일을 비유적으로 이르는 말.

고양이한테 생선을 맡기다

고양이에게 생선을 맡기면 그 생선을 먹을 것이 뻔한 일이란 뜻으로, 어떤 일이나 사물을 믿지 못할 사람에게 맡겨 놓고 마음이 놓이지 않아 걱정함을 비유적으로 이르는 말.

닭 잡아먹고 오리 발 내놓기

나쁜 일을 해 놓고   아니라고 하다

고양이한테 생선을 맡기다

못 믿을 사람에게   자신의 것을 맡기다

정답 고양이한테 생선을 맡기다

Q. 그림과 이어지는 해시태그(#)를 보고 알맞은 사자성어를 골라 ☐에 V표 하시오.

호시탐탐 ☐ / 일석이조 ☐

오, 이거 좋아 보이는데.

텔레비전에 먼지를 묻힐 기회를 엿봐야지.

푸하하

속닥속닥

꽤 탐나는군.

♡ ◯ ◁   ⊓

#동물 #눈에서_레이저_나오겠어 #기회 #엿보기

호시탐탐

남의 것을 빼앗기 위하여 일이 되어 가는 형편을 살피며 가만히 기회를 엿봄. 또는 그런 모양.

虎 視 耽 耽
범 호 볼 시 노려볼 탐 노려볼 탐

호랑이가 눈을 부릅뜨고 ——→ 먹이를 노려보다

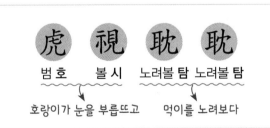

호랑이가 호시탐탐 기회를 엿보고 있어.

일석이조

한 개의 돌을 던져 두 마리의 새를 맞추어 떨어뜨린다는 뜻으로, 한 가지 일을 해서 두 가지 이익을 얻음을 이르는 말.

一 石 二 鳥
하나 일 돌 석 두 이 새 조

하나의 돌로 ——→ 새 두 마리를 한 번에 얻음

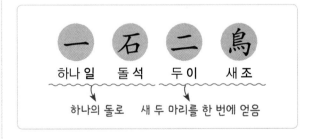

이번에 시험을 잘 봤더니 칭찬도 듣고 용돈도 받고, 일석이조네!

정답 호시탐탐

1 빈칸에 알맞은 말을 보기에서 찾아 쓰시오.

보기
> 가축   짐승   까치발   오리발

(1) 깊은 숲속에는 사나운 ☐☐ 들이 많기 때문에 조심해야 한다.

(2) 나는 사람들이 많은 콘서트장에서 가수를 보기 위해 ☐☐☐ 을 했다.

2 다음 그림과 같이 사람이 집에서 함께 살면서 기르는 동물을 무엇이라고 하는지 ○표 하시오.

이거 가져와!

(야생 동물 / 반려동물)

3 다음은 '변종'에 대한 뜻입니다. 첫 자음자와 뜻을 살펴보고 ❶과 ❷에 들어갈 알맞은 낱말을 쓰시오.

변종

같은 종류의 생물 가운데 ❶ⓑⓞ가 생겨서 ❷ⓢⓩ과 형태가 달라진 종류.

❶ⓑⓞ: 같은 종에서 모양과 성질이 다른 개체가 존재하는 현상.

◯◯

❷ⓢⓩ: 사물이나 현상이 가지고 있는 고유의 특성.

◯◯

4 다음 문장의 빈칸에 공통으로 들어갈 말은 어느 것입니까? ·····( )

> • 농장에서 ☐ 을 기른다.
> • ☐ 에서 우유와 고기 등의 식품을 얻을 수 있다.
> • ☐ 들도 품종에 따라 각기 다른 특성을 지니고 있다.

① 짐승   ② 가축   ③ 식물   ④ 상품   ⑤ 제품

5 다음 이야기를 읽고, 첫 자음자를 참고하여 밑줄 그은 부분과 관련 있는 사자성어를 쓰시오.

> 옛날에 힘이 장사인 변장자라는 사람이 살았다. 어느 날 변장자는 여행 중에 한 여관에 투숙하게 되었다. 밤이 깊자, 밖에서 난데없이 큰 소리가 나면서 사람들이 겁에 질려 있었다. 호랑이가 나타났다는 이야기를 들은 것이었다. 변장자는 이 말을 듣고 당장 호랑이를 잡으러 나갈 채비를 갖추었다.
>
> 그러자 여관에서 일하던 어린 남자아이가 변장자를 말리면서 말하였다.
>
> "지금 호랑이 두 마리가 나타나서 서로 소를 차지하려고 싸우고 있습니다. 잠시 후면 한 마리는 죽고, 한 마리는 상처를 입을 것입니다. 그러면 그때 가서 잡으십시오."
>
> 아이의 말을 들은 변장자는 싸움이 끝날 때까지 기다렸다. 그러자 정말로 호랑이 두 마리 중 하나는 죽고, 다른 호랑이는 큰 상처를 입고 말았다. <u>변장자는 힘들이지 않고 한꺼번에 호랑이 두 마리를 잡을 수 있었다.</u>

6 다음 그림과 같은 상황에서 쓸 수 있는 속담으로 알맞은 것은 무엇입니까? ·············· (   )

① 티끌 모아 태산

② 꿩 먹고 알 먹기

③ 소 잃고 외양간 고친다

④ 닭 잡아먹고 오리 발 내놓기

⑤ 길고 짧은 것은 대어 보아야 안다

7 다음 대화를 읽고, 빈칸에 알맞은 사자성어를 골라 ○표 하시오.

> 민아: 지연아, 너희 집 강아지 잘 지내?
>
> 지연: 응, 그럼. 요즘은 내가 간식을 먹을 때마다 내 옆으로 쪼르르 달려와. 그리고 혹시나 남는 간식이 없는지 ☐ 노리고 있다니까.

(호시탐탐 / 조삼모사)

8 다음 속담의 뜻으로 보아, 빈칸에 알맞은 낱말은 무엇입니까? ·············· (   )

속담	뜻
☐한테 생선을 맡기다	어떤 일이나 사물을 믿지 못할 사람에게 맡겨 놓고 마음이 놓이지 않아 걱정함을 비유적으로 이르는 말.

① 고양이　　② 강아지　　③ 원숭이　　④ 호랑이　　⑤ 구렁이

3주

#신분

Q. 그림과 이어지는 해시태그(#)를 보고 알맞은 어휘를 골라 □에 V표 하시오.

① 권위 □ / 세력 □   ···

#신분 #왕 #자리에서_나오는_힘 #영향력

② 양반 □ / 천민 □   ···

#신분 #높은_계급 #지배층 #과거_공부

③ 상민 □ / 중인 □   ···

#신분 #백성 #장사 #평민

④ 암행어사 □ / 탐관오리 □   ···

#신분 #백성을 #괴롭히는 #못된 #관리

정답 ① 권위 ② 양반 ③ 상민 ④ 탐관오리

①
권위

남을 지휘하거나 이끌어 따르게 하는 힘. 또는 일정한 분야에서 사회적으로 인정을 받고 영향력을 끼칠 수 있는 위엄.

예 임금에게는 큰 권위가 있다.

Tip_
권위는 개인이 사회 구성원들에게 인정받는 힘, 세력은 집단이 가진 힘.

세력

권력이나 기세의 힘. 어떤 속성이나 힘을 가진 집단.

예 고구려는 다른 나라를 정복할 때 세력을 크게 떨쳤다.

---

②
양반

조선 시대에 지배층을 이루던 신분.

예 조선 시대의 양반들은 한문을 필수적으로 익혀야 했다.

천민

신분 사회에서 가장 지위가 낮고, 천한 대우를 받던 백성.

예 천민은 신분제 사회에서 가장 무시를 당했던 신분 계급이었다.

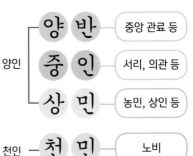

양인	양반	중앙 관료 등
	중인	서리, 의관 등
	상민	농민, 상인 등
천인	천민	노비

---

③
상민

양반이 아닌 보통 백성을 이르는 말.

예 조선 시대에는 신분이 높은 가문과 상민의 구분이 엄격했다.

중인

양반과 상민의 중간에 있던 신분.

중인에는 하급 벼슬아치인 서리와 향리, 환자를 돌보는 의관, 통역을 하는 역관 등이 있었음.

상민들은 대부분 초가집에서 살았대.

▲ 상민들의 삶의 모습

---

④
**암행
어사**

임금의 특별한 임명을 받아 비밀리에 지방 관리들의 비리를 밝혔던 관리. 백성의 어려움을 살펴서 개선하는 일을 하였음.

예 임금은 백성들의 삶을 살피기 위해 암행어사를 보냈다.

**탐관
오리**

백성들의 자산을 탐내어 빼앗는 행실이 깨끗하지 못한 관리.

예 못된 탐관오리들을 몰아내다.

암행어사는 몰래 임무를 수행하다가 탐관오리를 처벌할 때 "암행어사 출두요!" 라고 외쳤대.

#신분 #속담

Q. 그림과 이어지는 해시태그(#)를 보고 알맞은 속담을 골라 ☐에 V표 하시오.

🐰 사또 덕분에 나팔 분다 ☐ / 평안 감사도 저 싫으면 그만이다 ☐

너도 먹을 거지?

피자 주문해야지. 내가 사 줄게!

우웅 빛깔 응!

좋아, 형 덕분에 피자 먹네. 신난다!

♡ ○ ◁

#신분 #남의_덕 #우쭐거리는 #모습

사또 덕분에 나팔 분다	평안 감사도 저 싫으면 그만이다
남의 덕으로 당치도 않은 행세를 하거나 그런 대접을 받고 우쭐대는 모양을 비유적으로 이르는 말.	아무리 좋은 일이라도 당사자의 마음이 내키지 않으면 억지로 시킬 수 없음.

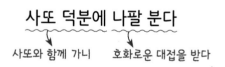

사또 덕분에 나팔 분다

사또와 함께 가니 → 호화로운 대접을 받다

평안 감사도 저 싫으면 그만이다

높은 벼슬처럼 좋은 일도 → 억지로 하게 만들 수는 없다

친구 생일이니까 맛있는 것 잔뜩 먹어야지.

사또 덕분에 나팔 분다더니 잔뜩 신이 났군.

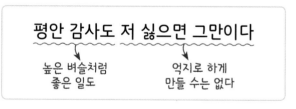

좋은 구두지만 모두 마음에 안 들어.

평안 감사도 저 싫으면 그만이라고 어쩔 수 없지.

정답 사또 덕분에 나팔 분다

Q. 그림과 이어지는 해시태그(#)를 보고 알맞은 사자성어를 골라 ☐에 V표 하시오.

🐰 호가호위 ☐ / 삼고초려 ☐

#신분 #다른_사람 #힘 #빌려 #자랑

호가호위	삼고초려
다른 사람의 힘을 빌려 허세를 부림. 남을 믿고 거들먹거리는 모습을 비유적으로 이르는 말.	뛰어난 인재를 맞아들이기 위하여 참을성 있게 노력함.

狐 假 虎 威
여우 호 거짓 가 범 호 위엄 위
여우가 호랑이의 위세를 빌려 거들먹거리다

三 顧 草 廬
석 삼 돌아볼 고 풀 초 오두막집 려
세 번이나 찾아가다 　 집으로

 여우 뒤에 호랑이가 따라가는데 짐승들이 호랑이를 보고 모두 달아났대.

호랑이는 그것도 모르고 여우가 무서운 것이라고 생각했지.

유비는 제갈량을 데려오려고 삼고초려를 했대.

뛰어난 인재를 얻기 위해 노력했구나.

정답 호가호위

1 다음 낱말의 알맞은 뜻을 찾아 선으로 이으시오.

(1) 양반 •

(2) 중인 •

(3) 천민 •

(4) 상민 •

• ① 양반이 아닌 보통 백성.

• ② 지배층을 이루던 신분.

• ③ 양반과 상민의 중간에 있던 신분.

• ④ 가장 지위가 낮고 천한 대우를 받던 백성.

2 '암행어사'에 대한 설명으로 알맞지 <u>않은</u> 것의 기호를 쓰시오.

ㄱ 임금의 특별한 임명을 받아 일을 수행하던 관리이다.
ㄴ 백성들의 어려움을 살피고 개선하는 일을 하였다.
ㄷ 모든 사람이 알 수 있도록 공개적으로 임무를 수행하였다.

( )

3 다음 빈칸에 문장의 뜻에 알맞게 '권위'나 '세력' 중에서 하나를 써넣으시오.

(1) 김 박사는 우주 항공 분야에서 그 □□를 인정받고 있다.

(2) 그의 개혁 의지는 반대 □□의 반발로 인해 좌절되고 말았다.

(3) 이순신 장군은 적군의 □□에 맞서 싸웠고, 전투를 승리로 이끌었다.

4 다음 글을 읽고 '탐관오리'에 속하는 인물의 이름을 찾아 기호를 쓰시오.

어느 날, 남원 지방에 ㉠변 사또가 새로 부임하였다. 그는 사또로서 해야 할 일을 하지 않고, 백성들을 못살게 굴기로 유명하였다. 그는 ㉡춘향을 불러들여 자신을 따를 것을 명하였다. 춘향은 자신이 사랑하는 ㉢이몽룡을 생각하며 그 명령을 단호히 거절하였다. 변 사또는 춘향이 자신의 명령을 거절하자 옥에 가두어 버렸다.
그사이 한양으로 과거를 보러 갔던 이몽룡은 암행어사로 임명을 받아 마을로 돌아왔다. 이몽룡은 암행어사로서 변 사또가 저지른 온갖 나쁜 일들을 폭로하며 옥에 갇힌 춘향을 구해 냈다.

( )

5 다음 이야기를 읽고, 밑줄 그은 부분과 관련 있는 사자성어에 ○표 하시오.

> 한나라의 유비는 관우, 장비와 함께 의형제를 맺고 군사를 일으켰다. 그러나 군사 전략을 세우고 군사들을 이끌 사람이 없어, 적군인 조조의 군대에게 늘 패하고 말았다.
> 어느 날, 유비는 자신의 스승인 사마휘를 찾아갔다. 자신을 도와줄 전략가를 추천해 달라고 청하자 사마휘는 제갈량을 찾아가 볼 것을 권하였다. 그러자 유비는 수레에 선물을 싣고 제갈량의 초가집을 찾아갔다. 하지만 제갈량은 집에 없었다. 며칠 후 다시 찾아갔으나, 이번에도 역시 제갈량을 만날 수 없었다. 두 번이나 방문했지만 제갈량을 만나지 못하자 관우와 장비는 유비에게 더 이상 찾아가지 말 것을 권하였다. 하지만 유비는 포기하지 않고 세 번째로 제갈량의 집에 찾아갔다. 마침내 유비는 제갈량을 만날 수 있었고, 그에게 자신의 군사를 이끄는 데 도움을 줄 것을 청하였다. 유비의 정성에 감동을 받은 제갈량은 유비를 도와 군사를 이끌기로 하였다.
> 훗날 유비는 제갈량의 뛰어난 전략을 통해 조조의 100만 대군을 물리치고 황제의 자리에 오르게 되었다.

(삼고초려 / 호가호위)

6 다음 설명과 관련된 속담을 골라 ○표 하시오.

> 아무리 좋은 일이라도 당사자의 마음이 내키지 않으면 억지로 시킬 수 없음.

(1) 빈 수레가 요란하다 ( )

(2) 평안 감사도 저 싫으면 그만이다 ( )

(3) 낮말은 새가 듣고 밤말은 쥐가 듣는다 ( )

7 다음 대화를 읽고, 빈칸에 알맞은 낱말을 넣어 속담을 완성하시오.

> "   더니, 저 애는 힘센 친구를 믿고 우쭐대는군."

➡ 사또 덕분에 [ ][ ] 분다

8 사자성어 '호가호위'와 관련 있는 동물을 모두 고르시오. ⋯⋯⋯⋯⋯⋯⋯⋯⋯ (,)

> 뜻 다른 사람의 힘을 빌려 허세를 부림.

① 여우 ② 사자 ③ 토끼 ④ 호랑이 ⑤ 거북

1 다음은 무엇에 대한 설명인지 빈칸에 들어갈 알맞은 낱말을 쓰시오.

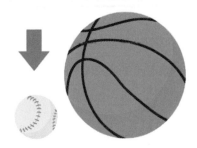

> 농구공과 야구공은 모두 공이라는 공통점이 있습니다. 이처럼 두 가지 이상의 대상에서 공통점을 찾아 설명하는 방법을 ☐☐☐라고 합니다.

(   )

2 다음 낱말의 뜻을 알맞게 이으시오.

(1) 요점 •

(2) 대조 •

(3) 분류 •

• ① 두 가지 이상의 대상을 차이점을 중심으로 설명함.

• ② 중심이 되는 사실이나 관점.

• ③ 공통된 특성을 가진 것끼리 묶어 설명하는 방법.

3 다음 상황과 가장 어울리는 속담은 무엇입니까? (   )

> 지은: 이번에 전국 수학 경시대회에서 지수가 1등을 했대.
> 수하: 대단하다! 어릴 때부터 수학을 잘했다고 하던데, 역시 남다르네.

① 사또 덕에 나팔 분다
② 구렁이 담 넘어가듯
③ 평안 감사도 저 싫으면 그만이다
④ 열 번 찍어 아니 넘어가는 나무 없다
⑤ 될성부른 나무는 떡잎부터 알아본다

4 다음 그림과 같은 나무의 종류를 무엇이라고 합니까? (   )

① 수풀   ② 침엽수   ③ 활엽수
④ 과일나무   ⑤ 가시덤불

5 다음 ( ) 안에 알맞은 말에 ○표 하시오.

(1) 무분별한 (벌목 / 수목)은 자연환경을 파괴하는 일이다.

(2) 추운 겨울을 따뜻하게 보내기 위해 산에서 (땔감 / 수풀)을 모아 왔다.

(3) 이 아이들은 장차 이 나라의 훌륭한 (산림 / 재목)이 될 것이다.

6 다음의 설명과 관련 있는 낱말에 ○표 하시오.

> • 모기는 사람의 피부를 물어 혈액을 포식한다.
> • 겨우살이는 ※숙주의 나뭇가지에 뿌리를 박고 물과 양분을 빼앗아 살아간다.
>
> ※ 숙주: 기생 생물에게 영양을 공급하는 생물.

(공생 / 기생)

7 다음에서 생물에 관한 설명으로 알맞은 것을 바르게 짝 지은 것은 무엇입니까?………(　　)

> ㉠ 엽록체는 직각 모양의 큰 구조물이다.
> ㉡ 미생물의 종류에는 세균이나 효모 등이 있다.
> ㉢ 무생물에는 세포로 이루어지지 않은 돌, 물, 흙 등이 있다.
> ㉣ 서로 다른 종류의 생물이 함께 생활하면서 한쪽만 이익을 얻는 관계는 공생이다.

① ㉠, ㉡　　② ㉡, ㉢　　③ ㉠, ㉢
④ ㉡, ㉣　　⑤ ㉢, ㉣

8 다음 빈칸에 알맞은 사자성어는 무엇입니까?
……………………………………………(　　)

> ◻◻◻◻은 남의 것을 빼앗기 위해 가만히 기회를 엿보는 모습을 뜻한다.

① 일석이조
② 거두절미
③ 단도직입
④ 호시탐탐
⑤ 독야청청

9 신분에 대한 낱말과 설명이 바르게 짝 지어지지 않은 것은 무엇입니까?………………(　　)

① 상민 – 양반이 아닌 보통 백성이었다.
② 중인 – 의학, 통역 등의 분야에서 일하였다.
③ 양반 – 조선 시대에 지배층을 이루었다.
④ 상민 – 행실이 깨끗하지 못한 관리였다.
⑤ 천민 – 신분 사회에서 가장 지위가 낮았다.

10 다음 설명하는 관리의 이름을 쓰시오.

> • 지방 관리들의 비리를 밝혔다.
> • 비밀리의 임금의 특별한 명령을 받았다.
> • 백성의 어려움을 살피고 개선하는 일을 했다.

(　　　　　　)

관용어 플러스

진이 빠지다

소나무에 상처가 생기면 그 자리에 끈적한 송진이 나와.

송진은 피부약뿐만 아니라 현악기 소리를 내거나 배에 물이 들어오지 않게 하는 재료 등 다양하게 이용되었지.

송진을 바르면 물이 들어오지 않지!

악기의 힘찬 소리는 송진 덕분이야!

송진처럼 식물의 껍질에서 나오는 끈끈한 물질을 진(津)이라고 해.

옻나무 진으로 전통 공예를 하지!

고무나무 진으로 고무를 만들죠!

홍삼 진액으로 건강을 지켜!

나무의 진이 유익하다고 계속 뽑아 내면 나무는 힘이 없어 시들시들 앓다가 심하면 말라 죽기도 하지.

아이고, 힘들어! 나무 살려!

사람에게 진액이 나올까?

사람에게 진이 나오진 않지만 진을 너무 많이 빼면 죽는 나무처럼

사람이 힘을 모두 써서 죽을 정도로 힘이 없는 상태를 '진이 빠지다'고 해.

'녹초가 되다'나 '파김치가 되다'도 '진이 빠지다'와 같은 뜻이야.

사고 쑥쑥

1 낙타가 물을 찾아가려고 해요. 설명을 읽고 알맞은 답을 찾아 길을 따라가세요.

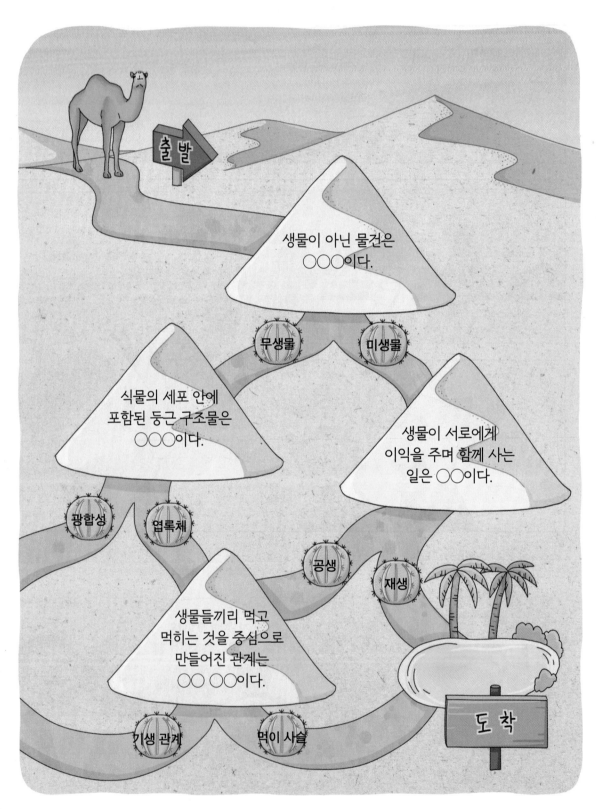

2 코딩을 하여 보기의 문제의 답이 있는 칸에 도착하려고 합니다. 코딩을 바르게 한 것에 ○표 하세요.

[문제]
공통된 특성을 가진 것끼리 가르고 묶어서 설명하는 방법은 무엇일까요?

[코딩 명령어]

↓ 아래로 한 칸 이동   ↑ 위로 한 칸 이동

← 왼쪽으로 한 칸 이동   → 오른쪽으로 한 칸 이동

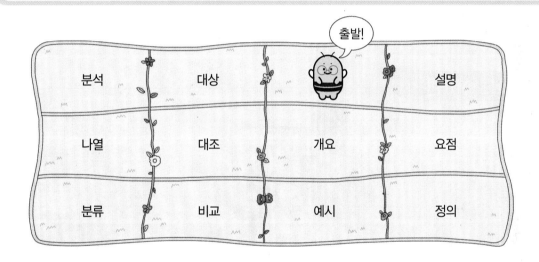

(1) 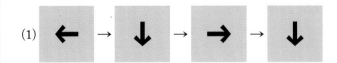   (   )

(2) 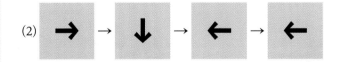   (   )

(3) 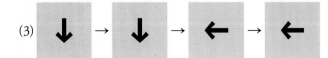   (   )

4주에는 무엇을 공부할까? ①

1일 국어 > 대화

말투 / 표정
신뢰 / 공감
조언 / 충고
제안 / 간섭

속담 가는 말이 고와야 오는 말이 곱다 / 가루는 칠수록 고와지고 말은 할수록 거칠어진다

사자성어 이구동성 / 청산유수

2일 생활 > 자연

햇볕 / 그늘
대기 / 토양
밀물 / 썰물
시내 / 호수

속담 하늘의 별 따기 / 산엘 가야 꿩을 잡고 바다엘 가야 고기를 잡는다

사자성어 산천초목 / 청풍명월

3일 과학 > 환경 오염

오수 / 폐수
스모그 / 산성비
황사 / 미세 먼지
농약 / 비료

속담 강물도 쓰면 준다 / 미꾸라지 한 마리가 온 웅덩이를 흐려 놓는다

사자성어 무위자연 / 천석고황

4일 | 생활 > 바람

신바람 / 콧바람
나부끼다 / 일렁이다
황소바람 / 하늬바람
계절풍 / 무역풍

속담 마파람에 게 눈 감추듯 / 바람 앞의 등불
사자성어 마이동풍 / 질풍노도

5일 | 사회 > 관계

공정하다 / 부당하다
본인 / 타인
탓 / 덕
호의 / 악의

속담 잘되면 제 탓 못되면 조상 탓 / 자기 배 부르면 남의 배 고픈 줄 모른다
사자성어 관포지교 / 견원지간

 관용어 플러스

'귓전으로 듣다'는
무슨 뜻일까?

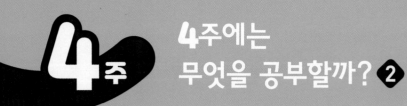
말투 ─── 표정

*말투는 말로 드러나는 것, 표정은 얼굴로 드러나는 것

'말투'와 '표정'은 무엇일까?

1 다음 그림과 같이 마음속의 상태가 겉으로 드러나는 것을 무엇이라고 하는지 첫 자음자를 참고하여 쓰시오.

ㅍ	ㅈ

농약 ─── 비료

*농약은 해충을 없애는 것, 비료는 흙에 영양분을 공급하는 것

'농약'과 '비료'는 어떻게 다를까?

2 다음 설명에 해당하는 낱말에 ○표 하시오.

토지에 뿌리는 영양 물질로 토지의 생산력을 높이고 식물이 자라는 것을 도와줌.

해충	비료	호미	사료

황소바람
───────
하늬바람

*'바람' 앞에 붙는 말에서 바람의 성질을 알 수 있지!

'황소바람'과 '하늬바람'은 어떻게 다를까?

3 다음 설명에 알맞은 낱말을 만화에서 찾아 쓰시오.

좁은 틈으로 세게 불어 드는 바람

미꾸라지 한 마리가
온 웅덩이를 흐려
놓는다

*한 사람의 좋지 않은 행동으로 여러 사람이 피해를 입었어.

왜 '미꾸라지 한 마리가 온 웅덩이를 흐려 놓는다'라고 하였을까?

4 다음 빈칸에 들어갈 말로 알맞은 것은 무엇입니까? (   )

우리 마을에 도둑이 들었다는 뉴스네!

① 별로 걱정하지 않아도 되겠군.

② 나와 관련 없는 일이니 상관없어.

③ 한 사람 때문에 온 마을이 난리가 났군.

4
주

#대화 🔍

Q. 그림과 이어지는 해시태그(#)를 보고 알맞은 어휘를 골라 □에 V표 하시오.

① 말투 □ / 표정 □   ···

#대화 #말하는 #버릇 #왜_그래

② 신뢰 □ / 공감 □   ···

#대화 #네_맘이 #내_맘 #고개_끄덕

③ 조언 □ / 충고 □   ···

#대화 #도움 #요청

④ 제안 □ / 간섭 □   ···

#대화 #의견_제시 #이건_어때?

정답 ① 말투 ② 공감 ③ 조언 ④ 제안

① 말투 / 표정

말투
말을 하는 버릇이나 모습.
말투는 그 사람의 습관이나 성격을 짐작할 수 있는 판단의 기준이 되기도 함.

표정
마음속에 품은 기분 같은 것이 겉으로 드러남. 또는 그런 모습.
예 아이는 어리둥절한 표정으로 고개를 갸우뚱했다.

Tip_
말하는 사람의 말투와 표정으로도 말의 의미가 전달될 수 있음.

② 신뢰 / 공감

신뢰
어떤 대상을 굳게 믿고 의지함.
예 그녀는 학생들의 신뢰를 받는 선생님이다.

공감
다른 사람의 감정, 의견, 주장 등에 대하여 자기도 그렇다고 느낌. 또는 그렇게 느끼는 기분.
예 그의 말에 나는 고개를 끄덕이며 공감을 했다.

그러셨군요.

▲ 상대방의 말에 공감하는 태도

4주

③ 조언 / 충고

조언
다른 사람을 말로 깨우쳐 주어서 도움. 또는 그런 말.
예 전문가의 조언을 따르다.

助言
도울 조 말씀 언
다른 사람에게 도움을 주는 말

충고
남의 부족하거나 완전하지 못한 점이나 잘못을 진심으로 타이름. 또는 그런 말.
예 의사의 충고에 따라 규칙적인 식사를 했다.

忠告
충성 충 고할 고
다른 사람의 잘못을 바로잡는 말

④ 제안 / 간섭

제안
토의할 만한 의견을 내놓음.
예 주말에 가족끼리 나들이 가자는 제안을 하였다.

간섭
직접 관계가 없는 남의 일에 이유 없이 참견함.
예 남의 일에 지나친 간섭을 해서는 안 된다.

Tip_
'참견'은 자기와 별로 관계없는 일이나 말에 끼어들어 아는 체하거나 이래라저래라 하는 태도.

#대화 #속담

Q. 그림과 이어지는 해시태그(#)를 보고 알맞은 속담을 골라 □에 V표 하시오.

가는 말이 고와야 오는 말이 곱다 □ / 가루는 칠수록 고와지고 말은 할수록 거칠어진다 □

돌쇠야, 고기 좀 줘라.

여기 있습니다.

이 서방, 고기 한 근만 주면 고맙겠네.

여기 있습니다.

#대화 #오고가는 #기분_좋은_말 #덤도 #듬뿍

가는 말이 고와야 오는 말이 곱다	가루는 칠수록 고와지고 말은 할수록 거칠어진다
자기가 남에게 말이나 행동을 좋게 하여야 남도 자기에게 좋게 한다는 말.	말이 길어질수록 사실과 다르게 전해지거나 거칠어져서 결국에는 말다툼까지 이를 수 있다는 말로, 말을 삼가라는 말.

가는 말이 고와야 오는 말이 곱다
내가 먼저 남을 좋게 대해야 → 남도 나를 좋게 대함.

가루는 칠수록 고와지고 가루는 체에 치면 고와짐.
말은 할수록 거칠어진다
→ 말은 길어질수록 거칠어짐.

가는 말이 고와야 오는 말도 고운 법이지!

옷이 멋지시네요.

감사합니다.

너 말을 왜 그렇게 해?

내가 뭐?

가루는 칠수록 고와지고 말은 할수록 거칠어진다더니 다툼이 커지는군.

정답 가는 말이 고와야 오는 말이 곱다

Q. 그림과 이어지는 해시태그(#)를 보고 알맞은 사자성어를 골라 ☐에 V표 하시오.

이구동성 ☐ / 청산유수 ☐

#대화 #말 #너무 #잘해 #나도 #모르게 #홀린_듯 #샀네

이구동성	청산유수
입은 다르나 목소리는 같다는 뜻으로, 여러 사람의 말이 한결같음을 이르는 말.	푸른 산에 흐르는 맑은 물이라는 뜻으로, 막힘없이 썩 잘하는 말을 비유적으로 이르는 말.

異 口 同 聲
다를 이 입 구 한가지 동 소리 성

모두 다른 사람들의 입이 → 하나의 목소리를 냄.

靑 山 流 水
푸를 청 산 산 흐를 유 물 수

정답 청산유수

1 다음 빈칸에 들어갈 알맞은 말을, 첫 자음자를 참고하여 쓰시오.

> 청춘과 삶의 이야기를 다룬 한 드라마는 시청자들에게 많은 [   ]을 불러일으켰다.

ㄱ	ㄱ

2 다른 사람과 토의할 만한 의견을 내놓는 것을 무엇이라고 합니까?·····················(   )

① 조언   ② 충고   ③ 제안
④ 간섭   ⑤ 지적

3 다음 중 조언과 충고에 관해 알맞게 말한 사람은 누구인지 쓰시오.

> 서진: 조언은 남의 잘못을 지적하며 깎아내리는 말이야.
> 수연: 충고는 다른 사람이 잘한 일에 대해 칭찬하는 말을 뜻해.
> 현진: 충고를 할 때에는 다른 사람의 잘못을 진심으로 타이르는 말을 해야 해.

(   )

4 다음 대화의 빈칸에 들어갈 말로 알맞은 것은 무엇입니까?·····················(   )

① 표정   ② 냄새   ③ 말투   ④ 대상   ⑤ 마음

5 다음 이야기의 밑줄 그은 부분과 관련 있는 사자성어로 알맞은 것은 무엇입니까? ·················· (　)

> 고려 시대에 거란이 소손녕 장수를 앞세워 80만 대군을 이끌고 고려를 침입하였다. 막강한 군대를 막아 내기에 고려군의 수는 너무 적었고 결국 고려는 첫 전투에서 패배하고 말았다. 성종은 사신을 보내 거란이 원하는 것이 무엇인지에 대해 물었고, 거란은 옛 고구려의 땅인 압록강 일대를 요구하였다. 이에 대해 왕과 신하들이 모여 의견을 논의하였다.
> "폐하, 거란의 요구대로 땅을 떼어 주고 거란과 평화롭게 지내야 합니다."
> 신하들이 거란과의 싸움을 피하자고 이야기하자, 서희는 반대하였다.
> "아니 되옵니다. 우리 땅을 함부로 침입한 것은 거란이므로 그들의 요구를 들어주어서는 안 됩니다!"
> 서희는 고려의 사신으로 임명되어 소손녕과 외교 담판을 짓기 위해 거란군의 진영으로 찾아갔다. 소손녕이 말하였다.
> "고려는 왜 이웃에 있는 우리와 사귀지 않고 송나라와 가까이 지내는 것이오?"
> "거란과 가까이 지내고 싶지만 가운데에 여진이 있어 오가는 길이 막혀 있으니 어쩔 수 없지 않소. 우리가 여진을 몰아내도록 도와준다면 어찌 거란과 가까이 지내지 않겠소?"
> <u>서희의 논리적이고 조리 있는 말을 들은 소손녕은 군사를 돌리고</u>, 고려가 여진을 몰아내도록 도움을 주었다. 이를 통해 고려는 거란의 80만 대군을 돌려보내고 강동 6주를 개척할 수 있었다.

① 형설지공　　　　　　　② 질풍노도
③ 산천초목　　　　　　　④ 청산유수
⑤ 견원지간

6 다음 사자성어의 뜻으로 알맞은 것은 무엇입니까? ··· (　)

> 이구동성 (異口同聲)

① 여러 사람의 말이 한결같다.
② 자기가 한 일을 자기 스스로 자랑하다.
③ 한 가지의 일로 두 가지의 이익을 보다.
④ 나쁜 사람을 가까이하면 그 버릇에 물들기 쉽다.
⑤ 무슨 일에 대하여 방향이나 상황을 알 길이 없다.

7 다음 대화를 보고, 빈칸에 알맞은 말을 써넣어 속담을 완성하시오.

> 지희: 채연아, 너는 말을 참 예쁘게 하는 것 같아.
> 채연: 고마워, 지희야. 너랑 대화하면 나도 기분이 좋아져.

가는 말이 고와야 ☐ ☐ ☐ ☐ ☐ ☐

#자연

Q. 그림과 이어지는 해시태그(#)를 보고 알맞은 어휘를 골라 ☐에 V표 하시오.

① 햇볕 ☐ / 그늘 ☐

#자연 #뜨거운 #해 #기운
#먼지_살려

② 대기 ☐ / 토양 ☐

#자연 #식물 #영양 #흙

③ 밀물 ☐ / 썰물 ☐

#자연 #바닷물이 #빠져나갔네

④ 시내 ☐ / 호수 ☐

#자연 #깊고 #넓은 #물

정답 ① 햇볕 ② 토양 ③ 썰물 ④ 호수

①

햇볕

해가 강하게 내리쬐는 기운. 유의어 햇살

예 뜨거운 햇볕이 쨍쨍 내리쬐자 아이스크림이 녹아 버렸다.

그늘

빛이 들지 않아 어두운 부분.

예 언덕 위에 있는 나무 그늘 아래에서 조금 쉬었다 가자.

Tip_
'햇살'은 해에서 나오는 빛의 줄기나 기운을 뜻함.

---

②

대기

'공기'를 달리 이르는 말로, 지구의 표면을 둘러싸고 있는 기체. 주로 질소와 산소로 이루어져 있음.

예 나무는 대기 중의 오염 물질을 흡수한다.

토양

식물에 영양을 공급하여 자라게 할 수 있는 흙.

예 건강한 토양에서 식물이 잘 자란다.

Tip_
대기는 지구를 둘러싼 공기를, 토양은 지구의 겉을 덮고 있는 흙을 말함.

4주

---

③

밀물

해수면(바닷물의 표면)이 높아져 바닷물이 육지 방향으로 들어오는 현상. 또는 그 바닷물.

예 밀물 시간이 되자 바닷물이 들어오기 시작했다.

썰물

해수면이 낮아져 바닷물이 바다 방향으로 빠지는 현상. 또는 그 바닷물.

예 썰물 때에는 갯벌이 드러난다.

▲ 갯벌

---

④

시내

골짜기나 평지에서 흐르는 자그마한 물줄기.

예 산 아래에는 커다란 바위를 끼고 흐르는 맑은 시내가 있다.

호수

땅이 움푹 들어가 연못이나 늪보다 깊고 넓게 물이 고여 있는 곳.

예 호수에 비친 달의 그림자가 아름답다.

연 못
∧
늪
∧
호 수

공통점: 물이 고여 있음.
차이점: 크기

#자연 #속담

Q. 그림과 이어지는 해시태그(#)를 보고 알맞은 속담을 골라 ☐에 V표 하시오.

하늘의 별 따기 ☐ / 산엘 가야 꿩을 잡고 바다엘 가야 고기를 잡는다 ☐

#자연 #엄청나게 #어려움 #과연 #될까?

하늘의 별 따기	산엘 가야 꿩을 잡고 바다엘 가야 고기를 잡는다
무언가를 얻거나 이루기가 매우 어려운 경우를 비유적으로 이르는 말.	꿩은 산에 가야 잡을 수 있고, 고기는 바다에 가야 잡을 수 있다는 뜻으로, 목적하는 방향을 제대로 잡아 노력하여야만 그 목적을 제대로 이룰 수 있음을 비유적으로 이르는 말.

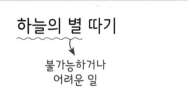

하늘의 별 따기
→
불가능하거나
어려운 일

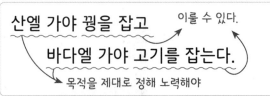

산엘 가야 꿩을 잡고 → 이룰 수 있다.
바다엘 가야 고기를 잡는다.
목적을 제대로 정해 노력해야

하늘의 별 따기 같은데……

이렇게 파다 보면 분명 금이 나올 거야!

목표를 잘 정해야 해.

정답 하늘의 별 따기

#자연 #사자성어 🔍

Q. 그림과 이어지는 해시태그(#)를 보고 알맞은 사자성어를 골라 ☐에 V표 하시오.

🐰 산천초목 ☐ /청풍명월 ☐

나도 좋구나 얼쑤~!

우와, 오늘 달 너무 예쁘다. 바람도 선선하네.

♡ ◯ ◁   △

#자연 #쟁반같이 #둥근 #달 #맑고 #선선한 #바람

산천초목	청풍명월
산과 시내와 풀과 나무라는 뜻으로, '자연'을 이르는 말.	맑은 바람과 밝은 달이라는 뜻.
📖 늦가을 낙엽이 산천초목에 물들었다.	📖 청풍명월을 벗 삼아 글을 읽다.

山　川　草　木
산 산　내 천　풀 초　나무 목

清　風　明　月
맑을 청　바람 풍　밝을 명　달 월

맑은 바람　밝은 달이 뜬 자연의 모습

과연 청풍명월의 계절이구나.

정답 청풍명월

1 빈칸에 알맞은 말을 보기 에서 찾아 쓰시오.

보기
| 호수 | 토양 | 밀물 | 썰물 |

(1) 비옥한 ☐☐에서 좋은 식물이 자랄 수 있다.

(2) ☐☐ 때가 되자 마을 사람들이 갯벌에 나가 조개를 주웠다.

2 다음 문장의 빈칸에 공통으로 들어갈 말은 어느 것입니까?·····( )

- 깊고 넓은 ( )에 달의 그림자가 비친다.
- 둥근 ( )에 오리 떼가 한가로이 떠 있다.
- ( )에 돌을 던지자 물결이 일렁거린다.

① 호수 ② 산봉우리 ③ 갯벌 ④ 공원 ⑤ 정원

3 다음 빈칸에 '햇볕'과 '그늘' 중에서 알맞은 낱말을 골라 써넣으시오.

(1) 날씨가 더우니 ☐☐에서 쉬어야겠다.

(2) ☐☐이 잘 드는 곳에서 빨래를 말리다.

(3) 풀잎 위의 이슬이 ☐☐을 받아 반짝반짝 빛난다.

4 다음은 '대기'에 대한 뜻입니다. 첫 자음자와 뜻을 살펴보고 ❶과 ❷에 들어갈 알맞은 낱말을 쓰시오.

대기

'공기'를 달리 이르는 말로,

지구의 ❶ⓅⓂ을 둘러싸고 있는 ❷ⒼⒸ

❶ⓅⓂ: 사물의 가장 바깥쪽. 또는 가장 윗부분.

◯◯

❷ⒼⒸ: 물질의 상태 중 하나로 공기, 수소, 산소 따위와 같은 것.

◯◯

5 다음 이야기를 읽고, 밑줄 그은 부분과 관련된 사자성어를 본문에서 찾아 쓰시오.

조선 시대에 송순이라는 사람이 살았다. 송순은 오랫동안 벼슬을 지내다가 훗날에 고향인 담양에 내려가기로 하였다. 그곳에는 제일봉이라는 곳이 있었는데 그 밑에 면앙정이라는 집을 짓고 살았다. 면앙정을 중심으로 주변에 산과 강이 넓게 펼쳐진 모습이 매우 장관이었다. 그는 주변의 아름다운 자연 풍경과 계절에 따른 아름다운 모습을 감상하며 즐긴 것을 *가사로 남기기로 하였다.

십 년을 경영하여 초려(草廬) 한 간 지어 내니
반 간은 청풍(淸風)이요, 반 간은 명월(明月)이라
강산은 들일 데 없으니 둘러 두고 보리라

이 작품의 이름은 〈면앙정가〉이다. 첫 줄에는 십 년에 걸쳐 초가집을 한 채 지었다는 내용이 나온다. 초가집의 반 칸에는 맑은 바람이 머물고, 나머지 반 칸에는 밝은 달빛이 가득 찬다고 하였다. 강과 산은 너무 커서 집 안에 둘 수 없으니 집 주위에 둘러 두고 보겠다고 이야기하였다. 이처럼 〈면앙정가〉에서는 자연의 아름다움과 즐거움에 대해 노래하고 있다.

*가사: 조선 초기에 나타난, 시와 줄글의 중간 형태의 문학.

□ □ □ □

4주

6 다음 그림과 가장 관련 있는 속담으로 알맞은 것은 무엇입니까? ·········· (　)

목표를 세워 미래의 방향을 잘 정하면 그 목표를 이룰 수 있을 거야!

① 등잔 밑이 어둡다　　　　　　② 미운 아이 떡 하나 더 준다
③ 원숭이도 나무에서 떨어진다　　④ 호랑이에게 물려 가도 정신만 차리면 산다
⑤ 산엘 가야 꿩을 잡고 바다엘 가야 고기를 잡는다.

7 다음 대화를 읽고, 빈칸에 알맞은 속담을 골라 ○표 하시오.

은지: 이번 시험 어렵다는데, 100점 맞을 수 있을까?
지수: 음, 아무래도 □□□□□ 야.

(하늘의 별 따기 / 구렁이 담 넘어가듯)

#환경 오염

Q. 그림과 이어지는 해시태그(#)를 보고 알맞은 어휘를 골라 ☐에 V표 하시오.

① 🐰 오수 ☐ / 폐수 ☐ ···

#환경_오염 #공장 #물 #함부로
#버리면 #안_됨

② 🐰 스모그 ☐ / 산성비 ☐ ···

#환경_오염 #안개_처럼 #뿌연 #연기
#대기_오염

③ 🐰 황사 ☐ / 미세 먼지 ☐ ···

#환경_오염 #아주_작은 #먼지 #조심

④ 🐰 농약 ☐ / 비료 ☐ ···

#환경_오염 #식물에게 #영양 #듬뿍

정답 ① 폐수 ② 스모그 ③ 미세 먼지 ④ 비료

①

오수

무언가를 씻거나 빨거나 하여 더러워진 물.

예) 오수를 깨끗하게 정화하는 오수 처리장이 있다.

폐수

공장이나 광산 등지에서 쓰고 난 뒤에 버리는 물.

예) 공장에서 몰래 버린 폐수 때문에 강이 오염되었다.

汚 더러울 오
水 물
廢 버릴 폐

오 수 더러운 물
폐 수 못 쓰게 된 물

---

②

스모그

자동차의 배기가스나 공장에서 내뿜는 연기가 안개와 같이 된 상태. 대기 오염의 심한 상태.

예) 스모그가 심해지면 동물은 호흡기 질환에 걸리기 쉽고 식물은 말라 죽을 수도 있다.

산성비

고농도의 황산과 질산 등의 산성을 강하게 포함하는 비. 산성비는 생태계를 파괴하고, 흙을 오염시킴.

예) 오늘 산성비가 내릴 예정이니 우산을 꼭 챙기세요.

▲ 연기(smoke)+안개(fog) =스모그

---

③

황사

누런 모래. 또는 중국 대륙의 사막이나 황토 지대에 있는 가느다란 모래가 강한 바람으로 인하여 날아올랐다가 점차 내려오는 현상.

예) 중국의 황사가 봄과 초여름에 우리나라로 날아온다.

미세 먼지

눈에 보이지 않을 정도로 입자(알갱이)가 작은 먼지.

예) 미세 먼지는 호흡기를 거쳐 폐에 침투하거나 혈관을 따라 우리 몸에 들어오면 건강을 해칠 수 있다.

▲ 황사

---

④

농약

농작물에 해로운 벌레, 병균, 잡초 따위를 없애거나 농작물이 잘 자라게 하는 약품.

예) 밭에 농약을 뿌리다.

비료

토지에 뿌리는 영양 물질. 토지의 생산력을 높이고 식물이 자라는 것을 도와줌.

예) 농부는 논에 벼를 심고 비료를 뿌렸다.

농 약   해로운 벌레를 없애는 약

비 료   영양분을 공급하는 물질

#환경 오염 #속담

Q. 그림과 이어지는 해시태그(#)를 보고 알맞은 속담을 골라 □에 V표 하시오.

강물도 쓰면 준다 □ / 미꾸라지 한 마리가 온 웅덩이를 흐려 놓는다 □

#환경_오염 #한_사람의 #나쁜_행동 #온_마을 #혼란

강물도 쓰면 준다

굉장히 많은 강물도 쓰면 준다는 뜻으로, 풍부하다고 하여 함부로 헤프게 쓰지 말라는 말.

강물도 쓰면 준다
↓ ↓
많은 것도 → 적어진다

물을 이렇게 낭비하면 어떻게 해!

미꾸라지 한 마리가 온 웅덩이를 흐려 놓는다

미꾸라지 한 마리가 흙탕물을 일으켜서 웅덩이의 물을 온통 다 흐리게 한다는 뜻으로, 한 사람의 좋지 않은 행동이 그 집단 전체나 여러 사람에게 나쁜 영향을 미침을 비유적으로 이르는 말.

미꾸라지 한 마리가 ——→ 소수의 나쁜 행동
온 웅덩이를 흐려 놓는다
↓
전체에 악영향을 끼침.

정답 미꾸라지 한 마리가 온 웅덩이를 흐려 놓는다

#환경 오염 #사자성어 🔍

Q. 그림과 이어지는 해시태그(#)를 보고 알맞은 사자성어를 골라 ☐에 V표 하시오.

무위자연 ☐ / 천석고황 ☐

자연 그대로의 모습이 가장 아름답군.

#환경_오염 #자연 #모습 #그대로 #자연_법칙 #따름

무위자연

사람의 힘을 더하지 않은 그대로의 자연을 이르는 말. 자연에 거스르지 않고 따르는 태도를 가리키기도 함.

無 | 爲 | 自 | 然
없을 무 | 할 위 | 스스로 자 | 그럴 연

사람이 훼손시키지 않은 → 자연 그대로

있는 그대로의 무위자연이 아름다워.

천석고황

자연의 아름다운 경치를 몹시 사랑하고 즐기는 성질이나 버릇. 자연을 사랑하는 마음이 커서 마치 고치지 못하는 병에 걸린 듯함.

泉 | 石 | 膏 | 肓
샘 천 | 돌 석 | 기름 고 | 명치끝 황

자연 경관의 아름다움이 → 가슴속 깊이 들어 있다

정답 무위자연

1 다음 낱말의 알맞은 뜻을 찾아 선으로 이으시오.

(1) 스모그 •

(2) 산성비 •

(3) 오수 •

• ① 무언가를 씻거나 빨거나 하여 더러워진 물.

• ② 공장 등에서 생긴 연기가 안개와 같이 된 상태.

• ③ 산성을 강하게 포함하는 비.

2 황사에 대한 설명으로 알맞지 <u>않은</u> 것의 기호를 쓰시오.

㉠ 누런 모래를 뜻한다.
㉡ 오늘날에는 쉽게 찾아보기 힘든 현상이다.
㉢ 사막이나 황토 지대에 있는 가는 모래가 강한 바람으로 올랐다가 내려오는 현상이다.

(   )

3 다음 문장의 빈칸에 뜻에 알맞게 '농약'이나 '비료' 중에서 하나를 써넣으시오.

(1) 병충해를 막기 위하여 ☐☐ 을 쳤다.

(2) 풀, 짚 또는 가축의 배설물 따위의 천연 물질로 된 ☐☐ 를 주는 것이 땅에 좋다.

(3) ☐☐ 을 뿌렸더니 잎을 갉아먹는 벌레들이 거의 없어졌다.

4 다음 첫 자음자를 참고하여 대화의 빈칸에 공통으로 들어갈 알맞은 낱말을 쓰시오.

지연: 오늘은 ☐ᄆ ᄉ☐ ☐ᄆ ᄌ☐ 의 농도가 '나쁨' 수준이래.
선아: 마스크를 꼭 챙겨야겠네. ☐ᄆ ᄉ☐ ☐ᄆ ᄌ☐ 가 호흡기를 거쳐서 우리 몸에 들어가면 건강에 해로울 수 있대.

ᄆ	ᄉ	ᄆ	ᄌ

5 다음 이야기를 읽고, 밑줄 그은 부분과 관련 있는 속담으로 알맞은 것에 ○표 하시오.

옛날에 한 까마귀가 있었다. 까마귀는 새들 중에서 자신이 가장 아름답고 멋지게 보이기를 원했다. 하지만 자신의 몸을 볼수록 온통 까맣기만 했다. 까마귀는 어떻게 하면 아름다워질 수 있을지 고민하기 시작했다.

그러던 어느 날, 길을 가다가 땅에 떨어져있는 공작의 깃털을 보았다. 그 깃털을 주워서 자신의 몸에 꽂았더니 전보다 화려해 보였다. 그날부터 까마귀는 다른 새들의 몸에서 떨어진 깃털을 하나씩 주워 모으기 시작했다. 그리고 모은 깃털들을 자신의 몸 구석구석에 꽂아 장식을 했다. 그리고 다른 새들에게 가서 자신의 모습을 보여 주며 깃털을 뽐내기 시작했다.

"내 모습을 좀 봐, 정말 아름답지 않니?"

그러자 새들이 까마귀의 화려한 모습에 놀라 신기하게 쳐다보았다. 그런데 자세히 보니 그 까마귀에 몸에는 자신들의 깃털이 꽂혀 있었다.

"잠깐만, 그거 내 깃털 같은데?"

"여기, 내 깃털도 있어!"

새들이 자신의 깃털을 찾아 모두 가져가자, 까마귀는 털이 모두 빠져 버린 새처럼 초라한 모습이 되었다. 그 모습을 본 다른 까마귀들은 이렇게 말했다.

"너 때문에 우리까지 우스운 꼴이 되었잖아."

다른 까마귀들은 부끄러워하며 모두 까마귀의 곁을 떠났다.

(바람 앞의 등불 / 미꾸라지 한 마리가 온 웅덩이를 흐려 놓는다)

6 다음 설명과 관련된 속담을 찾아 ○표 하시오.

풍부하다고 하여 함부로 헤프게 쓰지 말아야 한다.

(1) 강물도 쓰면 준다 ( )

(2) 작은 고추가 더 맵다 ( )

(3) 벼 이삭은 익을수록 고개를 숙인다 ( )

7 다음을 읽고, 첫 자음자를 참고하여 빈칸에 알맞은 사자성어를 쓰시오.

"〔   〕은 자연을 너무나 사랑하여 병에 걸릴 지경이라는 뜻을 담고 있어."

| ㅊ | ㅅ | ㄱ | ㅎ |

#바람

Q. 그림과 이어지는 해시태그(#)를 보고 알맞은 어휘를 골라 □에 V표 하시오.

① 신바람 □ / 콧바람 □ ⋯

#바람 #신난 #발걸음 #룰루

② 나부끼다 □ / 일렁이다 □ ⋯

#바람 #머리카락 #가볍게 #흔들리는 #모습

③ 황소바람 □ / 하늬바람 □ ⋯

#바람 #서쪽 #신선하고 #건조한 #바람

④ 계절풍 □ / 무역풍 □ ⋯

#바람 #여름 #겨울 #방향 #바뀜

정답 ① 신바람 ② 나부끼다 ③ 하늬바람 ④ 계절풍

①
신바람

신이 나서 우쭐우쭐해지는 기운.

㉠ 다희는 선물을 받자 신바람 이 났다.

콧바람

코로 내보내는 바람 기운, 또는 그 소리.

㉠ 지수는 콧바람 을 내며 집으로 돌아왔다.

> **Tip_**
> '어깻바람'은 신이 나서 어깨를 으쓱거리며 활발히 움직이는 기운을 뜻함.
>
> ㉠ 사람들은 어깻바람이 나서 덩실덩실 춤을 추었다.

---

②
나부끼다

천, 종이, 머리카락 따위의 가벼운 물체가 바람을 받아서 가볍게 흔들리다.

㉠ 깃발이 바람에 나부끼다 .

일렁이다

크고 긴 물건 따위가 이리저리 크게 흔들리다.

㉠ 들판 위의 갈대들이 일렁이다 .

> **Tip_**
> '나부끼다'는 가볍고 얇은 물체가 작게 흔들리는 모양, '일렁이다'는 물건이나 그림자가 크게 흔들리는 모양.

4 주

---

③
황소바람

좁은 틈으로 세게 불어 드는 바람. 좁은 곳으로 가늘게 들어오지만 매우 춥게 느껴지는 바람을 뜻함.

㉠ 황소바람 에 밤새 잠을 이룰 수 없었다.

하늬바람

맑은 날 서쪽에서 부는 서늘하고 건조한 바람.

㉠ 하늬바람 이 불자 기분이 상쾌해졌다.

샛 → 동풍
＋바람
하늬 → 서풍
마＋파람 → 남풍

---

④
계절풍

계절에 따라 주기적으로 일정한 방향으로 부는 바람. 여름에는 바다에서 육지로, 겨울에는 육지에서 바다로 붊.

㉠ 기온이 높고 비가 많은 여름 계절풍 은 벼농사에 유리하다.

무역풍

아열대(열대와 온대의 중간) 지방의 바람으로, 비교적 일정한 바람이 불며 온도와 습도가 높음.

㉠ 무역풍 은 옛 상인들의 항해에서 붙여진 이름이다.

> **Tip_**
> 계절풍은 계절에 따른 바람의 방향, 무역풍은 기후에 따른 바람의 방향과 관련이 있음.

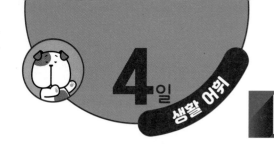

#바람 #속담

Q. 그림과 이어지는 해시태그(#)를 보고 알맞은 속담을 골라 ☐에 V표 하시오.

마파람에 게 눈 감추듯 ☐ / 바람 앞의 등불 ☐

잘 먹었습니다!

이 많은 것을 금세 다 먹다니.

#바람 #금세 #눈_앞에서 #뚝딱

마파람에 게 눈 감추듯	바람 앞의 등불
남쪽에서 부는 마파람이 불면 급하게 눈을 감는 게처럼, 어느 결에 먹었는지 모를 만큼 빨리 먹어 버리는 모습을 비유적으로 이르는 말.	언제 꺼질지 모르는 바람 앞의 등불이라는 뜻으로, 매우 위태로운 처지에 놓여 있음을 비유적으로 이르는 말.

마파람에 게 눈 감추듯

↓

빨리 먹다

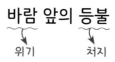
바람 앞의 등불

↓ ↓

위기   처지

마파람에 게 눈 감추듯 후다닥 먹어 버렸네!

등불이 꺼지면 안 되는데……

정답 마파람에 게 눈 감추듯

Q. 그림과 이어지는 해시태그(#)를 보고 알맞은 사자성어를 골라 ☐에 V표 하시오.

🐰 마이동풍 ☐ / 질풍노도 ☐

으악, 살려 줘.
이러다 보물 찾으러
못 가겠네!

앗

으악

#바람 #거친_바람 #성난_물결

마이동풍

동쪽 바람이 말의 귀를 스쳐 간다는 뜻으로, 남의 말을 귀담아듣지 않고 지나쳐 흘려버리는 모습을 이르는 말.

馬 耳 東 風
말 마　귀 이　동녘 동　바람 풍

남의 말을 흘려들음.

질풍노도

몹시 빠르게 부는 바람과 무섭게 소용돌이치는 물결. 변화가 심하고 불안한 청소년기를 가리키는 비유적인 표현으로도 사용됨.

疾 風 怒 濤
병 질　바람 풍　성낼 노　물결 도

거칠고 빠른 바람　거센 파도

마이동풍이로군.

자꾸 엄마 말
안 들을래?

1 다음과 같은 뜻을 가진 낱말을 쓰시오.

> 계절에 따라 주기적으로 일정한 방향으로 부는 바람.

□□□

2 빈칸에 알맞은 말을 보기 에서 찾아 쓰시오.

> 보기
>
> 신바람   콧바람   황소바람   하늬바람

(1) 아이는 새 구두를 사 준다는 엄마의 말에 □□□ 이 났다.

(2) 바람막이를 쳤는데도 좁은 창문 틈으로 □□□□ 이 들어왔다.

3 괄호 안에 공통으로 들어갈 알맞은 낱말은 무엇입니까?······················( )

> • 머리카락이 바람에 살랑살랑 (   ).
> • 청명한 가을 하늘에 깃발이 (   ).
> • 바람이 불자 학교 운동장에 걸린 국기가 (   ).

① 나부끼다   ② 일렁이다   ③ 치우치다   ④ 부딪히다   ⑤ 매달리다

4 다음 그림과 관련 있는 낱말에 대한 설명으로 알맞은 것은 무엇입니까?······················( )

① 맑은 날 서쪽에서 불어온다.

② 넓은 틈으로 거세게 불어온다.

③ 옛 상인들의 항해에서 이름이 붙여졌다.

④ 좁은 곳으로 가늘게 들어오지만 매우 춥게 느껴진다.

⑤ 여름에는 바다에서 육지로, 겨울에는 육지에서 바다로 분다.

5 다음 이야기를 읽고, 밑줄 그은 부분과 관련 있는 사자성어로 알맞은 것은 무엇입니까? ·········(   )

> 옛날 중국 당나라에 이백이라는 사람이 살았다. 어려서부터 총명하고 똑똑했던 이백은 과거에 합격하여 황제의 신하가 되었다. 황제는 이백을 크게 아끼며 좋아하였다. 그러자 다른 신하들은 이백을 질투하여 그를 헐뜯고 흉을 보았다. 황제가 똑똑한 이백을 좋아하는 모습을 보며 시기를 하였던 것이다. 그러자 이백은 궁궐에 남아 있는 대신 벼슬을 그만두고 중국의 이곳저곳을 돌아다니기로 하였다. 전국을 돌아다니며 많은 것을 보고 느끼면서 훌륭한 글과 시를 남겼다.
> 이백은 어느 날 친구 왕십이로부터 시를 하나 받았다. 인정받지 못하는 자신의 처지와 서글픈 심정을 담은 내용이었다. 당시에는 오랑캐와 싸워 공을 세우는 일이 훌륭한 사람으로 인정받는 분위기였기 때문이었다.
> 그러자 이백은 슬퍼하며 다음과 같은 내용이 담긴 시를 보냈다고 한다.
> "지금은 싸움을 잘하고 공을 세운 자가 대우를 받는 세상이라네. 우리가 아무리 좋은 시를 쓰고 쓴 소리를 한들 무슨 소용이 있겠는가. 그들의 눈에는 우리의 말이 보이지 않고, 우리의 소리가 들리지 않을 것이네. 풀밭의 말을 보게. <u>바람이 아무리 말의 귀를 스쳐도 말은 아무것도 못 느낀다네.</u> 이 시절이 지나가면 우리를 인정해 줄 날이 올 것이네."

① 오리무중   ② 소탐대실   ③ 백발백중

④ 자초지종   ⑤ 마이동풍

6 다음 속담과 관련된 설명을 골라 ○표 하시오.

> 마파람에 게 눈 감추듯

(1) 음식을 매우 빠르게 먹어 치운다는 말   (   )

(2) 모든 일은 원인에 따라 걸맞은 결과가 나타난다는 말   (   )

(3) 부지런히 노력하는 사람은 뒤처지지 않고 계속 발전한다는 말   (   )

7 다음 대화의 빈칸에 들어갈 사자성어를, 첫 자음자를 바탕으로 알맞게 쓰시오.

사춘기를 겪는 청소년을 비유적으로 가리키는 사자성어가 뭘까?

거친 파도와 바람을 뜻하는 □□□□야.

ㅈ	ㅍ	ㄴ	ㄷ

#관계

Q. 그림과 이어지는 해시태그(#)를 보고 알맞은 어휘를 골라 □에 V표 하시오.

① 공정하다 □ / 부당하다 □

#관계 #공평하게 #올바르게 #투표

② 본인 □ / 타인 □

#관계 #나와_너 #배려 #필수

③ 탓 □ / 덕 □

#관계 #다른_사람 #도움 #은혜

④ 호의 □ / 악의 □

#관계 #좋은_마음 #고마워 #잊지_않을게

정답 ① 공정하다 ② 타인 ③ 덕 ④ 호의

①

공정하다

공평하고 올바르다.
예 판사는 법에 따라 공 정 하 게 재판을 하였다.

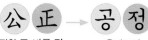

公 正 → 공 정
공평할 공 바를 정　올바르다

부당하다

이치에 맞지 않다.
예 그의 잘못으로 여기는 것은 부 당 하 다.

不 當 → 부 당
아닐 부 마땅 당　옳지 않다

---

②

본인

공식적인 자리에서의 '나'를 가리키는 말. 어떤 일에 직접 관계가 있거나 해당되는 사람을 가리키기도 함.
예 본 인 은 진실만을 말할 것을 맹세합니다.

本
근본 본

본 인
나

人
사람 인

타인

'다른 사람'을 이르는 말.
예 타 인 의 마음을 배려하는 태도가 중요하다.

他
다를 타

타 인
다른 사람

4주

③

탓

주로 나쁜 일이 생겨난 까닭이나 원인. 어떤 구실이나 핑계로 다른 사람을 원망하거나 나무람.
예 일이 이렇게 된 것은 다 네 탓 이야.

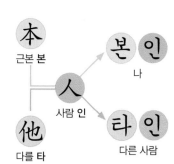

Tip_

탓
원망
미움

덕
고마움
칭찬

덕

다른 사람이 베풀어 준 은혜나 도움.
예 네 덕 에 일을 잘 마칠 수 있었어.

---

④

호의

친절한 마음씨. 또는 좋게 생각하여 주는 마음.
예 따뜻한 호 의 에 대해 감사를 표시했다.

Tip_
호의는 다른 사람을 좋은 마음으로 대하는 것, 악의는 다른 사람을 나쁜 마음으로 대하는 것.

악의

나쁜 마음. 또는 좋지 않은 뜻.
예 그 애의 말에는 악 의 가 있는 것처럼 느껴져서 기분이 좋지 않았다.

5일 교과 어휘 사회

#관계 #속담 🔍

Q. 그림과 이어지는 해시태그(#)를 보고 알맞은 속담을 골라 ☐에 V표 하시오.

🐰 잘되면 제 탓 못되면 조상 탓 ☐ / 자기 배 부르면 남의 배 고픈 줄 모른다 ☐

♡ ○ ◁   ◁

#관계 #다른_사람 #탓해도 #소용없어

잘되면 제 탓 못되면 조상 탓

일이 안될 때 그 책임을 남에게 돌리는 태도를 비유적으로 이르는 말.

잘되면 제 탓 못되면 조상 탓

잘된 일은 공을 자신에게 돌리고 / 안된 일은 남의 탓을 함.

이게 다 너 때문이야!

잘되면 제 탓 못되면 조상 탓이라고 남 탓만 하면 안 돼.

자기 배 부르면 남의 배 고픈 줄 모른다

자기와 환경이나 조건이 다른 사람의 사정을 이해하기가 어려움을 이르는 말. 좋은 처지에 있는 사람이 다른 사람의 딱한 사정을 이해하지 못하는 상황을 가리킴.

자기 배 부르면 남의 배 고픈 줄 모른다

여유 있거나 좋은 처지면 / 남의 딱한 사정을 이해하지 못함.

자기 배 부르면 남의 배 고픈 줄 모른다더니 나 좀 도와주지.

정답 잘되면 제 탓 못되면 조상 탓

#관계 # 사자성어

Q. 그림과 이어지는 해시태그(#)를 보고 알맞은 사자성어를 골라 ☐에 V표 하시오.

관포지교 ☐ / 견원지간 ☐

#관계 #맨날 #아웅다웅 #싸우는 #사이

관포지교

관중과 포숙의 사귐이란 뜻으로, 우정이 아주 많고 깊은 친구 관계를 이르는 말.

管 鮑 之 交
대롱 관 절인물고기 포 갈 지 사귈 교

관중과 포숙의 → 사귐.

견원지간

개와 원숭이의 사이라는 뜻으로, 사이가 매우 나쁜 두 관계를 비유적으로 이르는 말.

犬 猿 之 間
개 견 원숭이 원 갈 지 사이 간

개와 원숭이처럼 → 좋지 않은 사이

정답 견원지간

1 다음 뜻에 알맞은 낱말은 무엇입니까? ··(   )

> 자전거 빌려줄게.

> 고마워.

다른 사람을 좋게 생각하여 주는 마음.

① 호의   ② 악의   ③ 의의   ④ 정의   ⑤ 주의

2 '덕'의 뜻으로 알맞은 것은 무엇입니까? ··(   )

① 처한 사정이나 형편
② 일이 되어 가는 과정
③ 다른 사람이 베풀어 준 은혜나 도움
④ 부정적인 현상이 생겨난 까닭이나 원인
⑤ 억울하고 원통한 일을 당하여 응어리진 마음

3 다음 빈칸에 들어갈 낱말을 찾아 선으로 이으시오.

(1) 다른 사람의 몫을 함부로 가져가는 것은 ☐ .   •

  • ① 공정하다

(2) 헌법에 따라 합법적으로 내려진 판결은 ☐ .   •

  • ② 부당하다

4 밑줄 그은 낱말이 어색한 문장에 ×표 하시오.

(1) 네 덕에 숙제를 잘 마칠 수 있었어.   (   )
(2) 여기에 작성자 본인의 이름과 연락처를 적어 주세요.   (   )
(3) 나의 사정을 배려해 준 이웃의 악의에 감사하는 마음이 들었다.   (   )

5 다음 이야기를 읽고, 밑줄 그은 부분과 관련 있는 사자성어로 알맞은 것을 골라 ○표 하시오.

> 옛날 중국 제나라에 살던 관중과 포숙아는 서로 둘도 없는 친구 사이였다. 어려서부터 포숙아는 관중의 뛰어난 재능을 칭찬해 주었고, 관중은 포숙아를 항상 이해하고 존중해 주며 사이좋게 지냈다. 세월이 흘러 관중과 포숙아는 벼슬에 오르게 되었다. 하지만 제나라의 임금인 양공이 죽자 나라가 어지러워지면서 왕위 다툼이 발생하게 되었다. 관중과 포숙아는 서로 다른 편에 서게 되어 뜻하지 않게 적이 되고 말았다.
>
> 관중은 자신이 모시던 규 제후를 왕위에 올리기 위해, 포숙아가 모시는 소백을 찾아가 몰래 활을 쏘았다. 다행히도 화살이 빗겨 나가 소백은 가까스로 목숨을 구했고, 규 제후보다 먼저 왕위에 올랐다.
>
> 임금이 된 소백은 관중을 잡아 오라고 명령하였다. 그때 포숙아가 나서며 소백에게 말했다.
> "전하, 관중은 자신의 일에서 최선을 다했을 뿐입니다. 그러니 용서해 주시고 그를 전하의 편으로 만드십시오. 관중의 지혜와 용기는 전하께 큰 힘이 될 것입니다."
> 이 말을 들은 소백은 둘의 우정을 인정하며 마음을 돌려 관중에게 벼슬을 내렸다.
> 나중에 관중은 포숙아의 마음에 깊은 감사를 표현하며 이렇게 말했다고 한다.
> "나를 낳아 주신 분은 부모님이지만, 나를 진정으로 알아 준 사람은 포숙아뿐이었다."

(관포지교 / 토사구팽)

**4
주**

6 사자성어 '견원지간(犬猿之間)'의 뜻을 쓸 수 있는 상황으로 알맞은 것은 무엇입니까? ┈┈┈┈( )

① 동생과 자주 다툴 때
② 부모님의 심부름을 할 때
③ 친구에게 좋은 선물을 줄 때
④ 다른 사람과 사이좋게 지낼 때
⑤ 선생님께 감사 인사를 드릴 때

7 다음은 어떤 속담에 대한 설명입니까? ┈┈┈┈┈┈┈┈┈┈┈┈┈┈┈┈┈┈┈┈( )

> • 자신과 환경이나 조건이 다른 사람의 사정을 이해하기 어려움.
> • 좋은 처지에 있는 사람이 남의 딱한 사정을 잘 모르는 상황을 가리킴.

① 목구멍이 포도청
② 다람쥐 쳇바퀴 돌듯
③ 우물을 파도 한 우물만 파라
④ 서당 개 삼 년에 풍월 읊는다
⑤ 자기 배 부르면 남의 배 고픈 줄 모른다

누구나 100점 TEST

1 다음 (   ) 안의 알맞은 말에 ○표 하시오.

(1) 그 책은 많은 독자들의 (간섭 / 공감)과 사랑을 받았다.

(2) 천둥소리에 깜짝 놀란 (표정 / 말투)을 지었다.

(3) 친구의 (제안 / 간섭)에 따라 요리 동아리에 들어가기로 하였다.

2 다음 빈칸에 들어갈 사자성어로 가장 알맞은 것은 무엇입니까?⋯⋯⋯⋯⋯⋯(　　)

그는 사람들 앞에서 긴장하지 않고 [　　] 처럼 매끄럽게 발표를 마쳤다.

① 이구동성

② 청산유수

③ 산천초목

④ 청풍명월

⑤ 질풍노도

3 다음에서 설명하는 낱말로 알맞은 것은 무엇입니까?⋯⋯⋯⋯⋯⋯⋯⋯(　　)

> • 바닷물이 육지 방향으로 들어오는 현상이다.
> • 해수면이 높아지는 것과 관련이 있다.

① 대기　　　② 토양　　　③ 썰물

④ 밀물　　　⑤ 호수

4 다음 대화를 읽고 빈칸에 들어갈 낱말을 쓰시오.

> 진아: 이번에 뮤지컬 예매를 하려고 했는데 인기가 너무 많아서 못했어.
> 성호: 그랬구나, 아쉽다. 예매하기가 [　][　]의 별 따기였겠네.

5 대기 오염이 심각한 상태로, 뿌연 안개와 같이 된 상황을 무엇이라고 합니까?⋯⋯(　　)

① 오수　　　② 폐수　　　③ 산소

④ 스모그　　⑤ 산성비

6 다음 그림과 관련된 속담으로 가장 알맞은 것은 무엇입니까? ·········· (　)

① 바람 앞의 등불

② 강물도 쓰면 준다

③ 가는 말이 고와야 오는 말이 곱다

④ 자기 배 부르면 남의 배 고픈 줄 모른다

⑤ 미꾸라지 한 마리가 온 웅덩이를 흐려 놓는다

7 다음 낱말과 그 뜻을 바르게 이으시오.

(1) 신바람 · · ① 서쪽에서 부는 바람.

(2) 콧바람 · · ② 신이 나서 우쭐해지는 기운.

(3) 황소바람 · · ③ 좁은 틈으로 세게 불어 드는 바람.

(4) 하늬바람 · · ④ 코로 내보내는 바람 기운.

8 다음 속담의 뜻으로 알맞은 것은 무엇입니까? ·········· (　)

> 마파람에 게 눈 감추듯

① 매우 위태로운 처지에 놓여 있음.

② 일이 안될 때 책임을 남에게 돌림.

③ 풍부하다고 해서 함부로 써서는 안 됨.

④ 다른 사람의 사정을 이해하기가 어려움.

⑤ 어느 결에 먹었는지 모를 만큼 빨리 먹어 버리는 모양.

9 낱말에 대한 설명이 알맞으면 ○표, 알맞지 않으면 ×표를 하시오.

(1) '덕'은 다른 사람이 베풀어 준 은혜나 도움을 뜻하는 말이다. 　(　)

(2) '호의'는 나쁜 마음, 또는 좋지 않은 뜻을 말한다. 　(　)

(3) '탓'은 주로 나쁜 일이 생겨났을 때, 다른 사람을 나무라는 것이다. 　(　)

10 개와 원숭이의 사이라는 뜻으로, 사이가 매우 나쁜 관계를 가리키는 사자성어는 무엇인지 쓰시오.

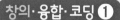
관용어 플러스

귓전으로 듣다

'귓전으로 듣다'의 뜻을 이해하려면 일단 귓전이
어디인지 알아봐야겠지?

귓전은 밖으로 보이는 바깥귀 부분을 뜻해.

'귓전으로 듣다'는 누군가의 말을 듣고도 들을 체 만 체하거나 관심을 기울이지 않고 건성으로 듣는다는 뜻이야.

논리 탄탄

1 다음 에서 환경 오염과 관련된 낱말에 대한 알맞은 설명이 적힌 숫자를 찾아 네모 칸을 색칠하세요.

> **보기**
>
> ❶ 오수는 무언가를 씻거나 빨 때 사용하여 더러워진 물이다.
> ❷ 산성비에는 강한 알칼리성 물질이 들어 있다.
> ❸ 스모그는 자동차의 배기가스와 관련이 없다.
> ❹ 황사는 사막이나 황토 지대에 있던 모래와 관련된 현상이다.
> ❺ 미세 먼지는 입자가 매우 작다.
> ❻ 농약은 토지에 뿌리는 영양 물질이다.
> ❼ 폐수는 공장이나 광산 등에서 사용된 후 버려지는 물이다.

2	6	2	1	3	2	3
3	2	6	5	4	3	2
6	3	6	7	1	5	6
2	3	2	5	2	6	3
6	5	5	4	7	1	6
3	7	1	7	5	4	2
6	2	4	5	1	2	6

2 사다리를 타고 내려가 계절풍에 대해 바르게 말한 친구의 이름을 쓰세요.

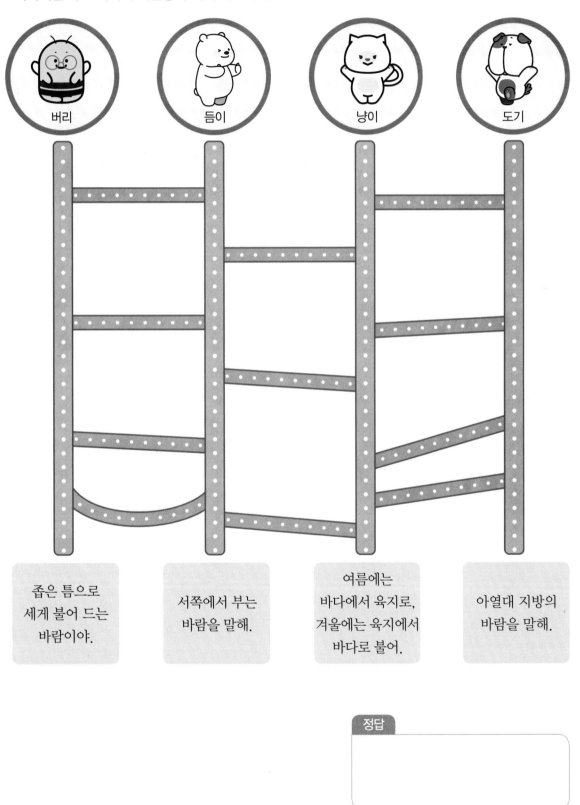

버리

듬이

냥이

도기

좁은 틈으로
세게 불어 드는
바람이야.

서쪽에서 부는
바람을 말해.

여름에는
바다에서 육지로,
겨울에는 육지에서
바다로 불어.

아열대 지방의
바람을 말해.

정답

ㄱ	가축	집에서 기르는 동물.	짐승	몸에 털이 나고 발이 네 개인 동물.	115쪽
	계절풍	계절에 따라 일정한 방향으로 부는 바람.	무역풍	아열대 지방의 바람.	155쪽
	고름	저고리나 두루마기의 깃 끝과 그 맞은편에 하나씩 달아 양편 옷깃을 여밀 수 있도록 한 헝겊 끈.	대님	한복에서, 남자들이 바지를 입은 뒤에 그 가랑이의 끝 쪽을 접어서 발목을 졸라매는 끈.	31쪽
	공동체	사람들이 모여 집단을 이루고 목표나 삶을 같이하면서 함께 살아가는 것.	지역이기주의	다른 지역의 사정은 생각하지 않은 채 자기 지역의 이익이나 행복만 좇으려는 것.	37쪽
	공생	서로 다른 종류의 생물이 같은 곳에서 살며 서로에게 이익을 주며 함께 사는 일.	기생	서로 다른 종류의 생물이 함께 생활하며, 한쪽이 이익을 얻고 다른 쪽이 해를 입고 있는 일.	109쪽
	공정하다	공평하고 올바르다.	부당하다	이치에 맞지 않다.	161쪽
	광합성	식물이 빛 에너지를 이용하여, 흡수된 이산화탄소와 수분을 양분과 산소로 바꾸는 작용.	엽록체	식물 잎의 세포 안에 함유된 둥근 모양 또는 타원형의 작은 기관.	109쪽
	권위	남을 지휘하거나 이끌어 따르게 하는 힘.	세력	권력이나 기세의 힘.	121쪽
	기껍다	마음속으로 은근히 기쁘다.	멋쩍다	어색하고 쑥스럽다.	73쪽
	깃	저고리나 두루마기의 목에 둘러대어 앞으로 여밀 수 있도록 된 부분.	소매	윗옷의 좌우에 있는 두 팔을 꿰는 부분.	31쪽
	까치발	키를 높이기 위하여 발뒤꿈치를 든 발.	오리발	엉뚱하게 딴전을 부리는 태도를 이르는 말.	115쪽
ㄴ	나부끼다	가벼운 물체가 바람을 받아 가볍게 흔들리다.	일렁이다	크고 긴 물건 따위가 이리저리 크게 흔들리다.	155쪽
	농약	농작물에 해로운 벌레 따위를 없애는 약품.	비료	토지에 뿌리는 영양 물질.	149쪽
ㄷ	단군왕검	우리나라 최초의 나라인 고조선을 세운 인물.	박혁거세	신라의 첫 임금.	79쪽
	단일어	낱말을 쪼개었을 때 각각 아무 뜻을 가지지 못하여 더 이상 나눌 수 없는 낱말.	복합어	뜻이 있는 두 낱말을 합한 낱말과, 뜻을 더해 주는 말과 뜻이 있는 낱말을 합한 낱말.	55쪽
	대기	지구의 표면을 둘러싸고 있는 기체.	토양	식물에 영양을 공급해 자라게 할 수 있는 흙.	143쪽
	동사	사람이나 사물의 움직임을 나타내는 말.	형용사	성질이나 상태를 나타내는 말.	55쪽
ㅁ	말투	말을 하는 버릇이나 모습.	표정	마음속에 품은 기분 같은 것이 겉으로 드러남.	137쪽
	먹이사슬	생물 사이의 먹고 먹히는 관계가 마치 사슬처럼 연결되어 있는 것.	먹이그물	여러 생물의 먹이 사슬이 얽혀서 복잡하게 이루어져 있는 먹이 관계.	109쪽
	멸종	한 생물의 수가 줄다가 완전히 사라져 버림.	변종	생물 가운데 변이가 생겨서 형태가 달라진 종류.	115쪽
	무더위	습도와 온도가 매우 높아 찌는 듯 견디기 어려운 더위.	열대야	한여름에 집 밖의 가장 낮은 기온이 25℃ 이상인 무더운 밤.	19쪽
	무안하다	수줍거나 창피하여 볼 낯이 없다.	심란하다	마음이 어수선하다. 유의어 ▶ 심산하다	73쪽
	무생물	생물이 아닌 물건.	미생물	눈으로는 볼 수 없는 아주 작은 생물.	109쪽
	밀물	바닷물이 육지 방향으로 들어오는 현상.	썰물	바닷물이 바다 방향으로 빠지는 현상.	143쪽
ㅂ	발명	새로 생각하여 만들어 내는 것.	발견	어떤 숨겨진 물건이나 사실을 찾아내는 것.	37쪽
	발효	미생물이 동물이나 식물 등의 생명체를 이루는 물질을 낱낱으로 만드는 작용.	부패	미생물에 의하여 썩는 것.	67쪽
	번식	동물이나 식물의 수가 늘어서 널리 퍼져 나가는 것.	번영	한창 왕성하게 일어나 퍼지고, 이름이 세상에 빛날 만하게 됨.	67쪽
	벌목	산이나 숲의 나무를 벰.	땔감	불을 피우는 데 쓰는 나무 등의 재료.	103쪽

보행	걸어 다님.	보폭	걸을 때 앞발 뒤축에서 뒷발 뒤축까지의 거리.	61쪽
복선	앞으로 일어날 사건에 대하여 실마리가 되는 것을 넌지시 알려 주는 것.	결말	갈등이 없어지고 문제가 해결되는 소설의 마지막 단계.	13쪽
본인	공식적인 자리에서의 '나'를 가리키는 말.	타인	'다른 사람'을 이르는 말.	161쪽
분류	공통된 특성을 가진 것끼리 가르고 묶어서 설명하는 방법.	분석	하나의 대상을 각각의 부분으로 나누어 설명하는 방법.	97쪽
비교	두 가지 이상의 대상에서 공통점을 찾아 설명하는 방법.	대조	두 가지 이상의 대상에서 차이점을 찾아 설명하는 방법.	97쪽
사건	인물들이 겪거나 벌이는 일.	갈등	생각이나 처지 등이 달라서 맞부딪치는 것.	13쪽
산업혁명	18세기 산업의 기초가 수공업에서 대규모 기계 공업으로 전환된 큰 변화.	사회운동	사회 문제의 해결을 위하여 여러 사람이 모여 계속적으로 하는 행동.	37쪽
산림	산과 숲, 또는 산에 있는 숲.	수풀	풀이나 덩굴 따위가 한데 엉킨 것.	103쪽
상민	양반이 아닌 보통 백성을 이르는 말.	중인	양반과 상민의 중간에 있던 신분.	121쪽
성큼성큼	다리를 잇따라 높이 들어 크게 떼어 놓는 모양.	어기적어기적	팔다리를 부자연스럽고 크게 움직이며 천천히 걷는 모양.	61쪽
수목	살아 있는 나무를 이르는 말.	재목	건축물이나 기구 따위를 만드는 데 쓰는 나무.	103쪽
수렵 채집 사회	야생 동물을 사냥하거나 야생 식물의 뿌리, 줄기, 열매 등을 캐거나 모아서 먹고 살던 사회.	농경사회	도구를 사용하여 농사를 지어서 먹고살던 사회.	79쪽
수증기	기체 상태의 물.	김	수증기가 공기 중으로 나왔을 때 식어서 작은 물방울로 변한 것.	25쪽
스모그	나쁜 연기가 안개와 같이 된 상태.	산성비	산성을 강하게 포함하는 비.	149쪽
습기	물기가 많아 젖은 듯한 기운.	습도	공기 중에 수증기가 들어 있는 정도.	25쪽
시내	골짜기나 평지에서 흐르는 자그마한 물줄기.	호수	깊고 넓게 물이 고여 있는 곳.	143쪽
신뢰	어떤 대상을 굳게 믿고 의지함.	공감	다른 사람의 감정 등에 대해 자기도 그렇다고 느낌.	137쪽
신바람	신이 나서 우쭐우쭐해지는 기운.	콧바람	코로 내보내는 바람 기운, 또는 그 소리.	155쪽
실마리 유의어 단서	일이나 사건을 풀어 나갈 수 있는 첫머리.	추론	이미 아는 정보를 근거로 삼아 다른 판단을 이끌어 내는 것.	13쪽
안개	수증기가 땅의 겉면 근처에서 응결하여 공기 중에 작은 물방울 상태로 떠 있는 현상.	서리	기온이 낮아지면서 공기 중에 있던 수증기가 물체나 땅에 닿아 눈가루같이 얼어붙은 것.	25쪽
암행어사	비밀리에 지방 관리들의 비리를 밝혔던 관리.	탐관오리	행실이 깨끗하지 못한 관리.	121쪽
야생동물	산이나 들에서 저절로 나서 자라는 동물.	반려동물	사람이 가까이 두고 기르는 동물.	115쪽
양반	조선 시대에 지배층을 이루던 신분.	천민	신분 사회에서 가장 지위가 낮은 백성.	121쪽
양식	살기 위하여 필요한 사람의 먹을거리.	섭취	생물체가 양분 따위를 몸속에 빨아들이는 일.	67쪽
어근	합성어나 파생어에서 실질적인 뜻을 나타내는 중심이 되는 부분.	접사	파생어에서 어근에 붙어서 새로운 낱말을 만들고 뜻을 더해 주는 부분.	55쪽
여우비	볕이 나 있는 날 잠깐 오다가 그치는 비.	장대비	장대처럼 굵고 거세게 좍좍 내리는 비.	19쪽
영양소	몸에 필요한 영양분이 있는 물질.	열량	음식에 들어 있는 에너지.	67쪽
오수	무언가를 씻거나 빨거나 하여 더러워진 물.	폐수	공장이나 광산 등지에서 쓰고 난 뒤에 버리는 물.	149쪽
요점	가장 중요하고 중심이 되는 사실이나 생각.	개요	간결하게 추려 낸 주요 내용.	97쪽
원망	못마땅하게 여기어 탓하거나 불평을 품고 미워함.	실망	희망을 잃거나 바라던 일이 뜻대로 되지 아니하여 마음이 몹시 상하고 안타까움.	73쪽
윗옷	위에 입는 옷.	웃옷	맨 겉에 입는 옷.	31쪽

ㅇ 응결	기체인 수증기가 액체인 물이 되는 현상.	기화	액체가 기체로 변하는 현상.	**25쪽**
인내심	괴로움이나 어려움을 참고 견디는 마음.	의구심	믿지 못하고 두려워하는 마음.	**73쪽**
ㅈ 장소	어떤 일이 이루어지거나 일어나는 곳.	배경	사건이 일어나는 시간과 장소.	**13쪽**
재다	동작이 재빠르다.	굼뜨다	답답할 만큼 매우 느리다.	**61쪽**
정보화	정보가 가장 중요한 자원이 되어, 정보를 중심으로 산업이나 경제가 발전되고 사회가 운영되어 가는 것.	세계화	세계가 정치, 경제, 사회, 문화 등 여러 분야에서 서로 많은 영향을 주고받으면서 통하는 것이 많아지는 것.	**37쪽**
정의	어떤 일이나 대상의 내용을 잘 알 수 있도록 밝혀 말하는 방법.	예시	어떤 대상에 대해 예를 들어 설명하는 방법.	**97쪽**
제안	토의할 만한 의견을 내놓음.	간섭	직접 관계가 없는 남의 일에 이유 없이 참견함.	**137쪽**
조언	다른 사람을 말로 깨우쳐 주어서 도움.	충고	남의 부족한 점이나 잘못을 진심으로 타이름.	**137쪽**
주어	문장에서 동작이나 상태의 주체가 되는 말.	서술어	주어의 움직임, 상태, 성질 따위를 풀이하는 말.	**55쪽**
ㅊ 침엽수	식물의 잎이 뾰족한 모양인 나무의 종류.	활엽수	식물의 잎이 평평하고 넓은 나무의 종류.	**103쪽**
ㅌ 탓	주로 나쁜 일이 생겨난 까닭이나 원인.	덕	다른 사람이 베풀어 준 은혜나 도움.	**161쪽**
태풍	북태평양 서남부에서 생겨서 7~9월에 세찬 바람과 함께 큰비를 내리는 강한 열대 저기압.	홍수	어느 한 지역에 집중적으로 내리는 비로 시내나 강 등이 흘러넘쳐서 주변 지역에 피해를 입히는 자연재해.	**19쪽**
토테미즘	신석기 시대에 자기 씨족의 기원과 관련되거나 신성하게 여기는 동물, 식물, 자연물을 상징물로 만들어서 섬기는 신앙.	샤머니즘	원시적 종교의 한 형태. 주문을 외우거나 술법을 부리는 샤먼이 신과 같은 초자연적인 존재와 서로 통하면서, 그에 의하여 앞일을 점치거나 병 치료 따위를 하는 종교적 현상.	**79쪽**
ㅍ 폭염	낮 최고 기온이 33℃를 넘어서는 매운 더운 날씨.	폭설	한꺼번에 많은 양의 눈이 내리는 것.	**19쪽**
ㅎ 해어지다	닳아서 떨어지다. 준말▶ 해지다	깁다	떨어지거나 해어진 곳에 다른 조각을 대거나 또는 그대로 꿰매다.	**31쪽**
햇볕	해가 강하게 내리쬐는 기운.	그늘	빛이 들지 않아 어두운 부분.	**143쪽**
헛걸음	목적을 이루지 못하고 헛수고만 하고 가거나 옴. 또는 그런 걸음.	제자리걸음	상태가 나아가지 못하고 한자리에 머무는 일.	**61쪽**
호의	친절한 마음씨. 좋게 생각하여 주는 마음.	악의	나쁜 마음. 또는 좋지 않은 뜻.	**161쪽**
환인	환웅의 아버지.	환웅	단군왕검의 아버지	**79쪽**
황사	모래가 강한 바람으로 인하여 날아올랐다가 점차 내려오는 현상.	미세먼지	눈에 보이지 않을 정도로 입자가 작은 먼지.	**149쪽**
황소바람	좁은 틈으로 세게 불어 드는 바람.	하늬바람	맑은 날 서쪽에서 부는 서늘하고 건조한 바람.	**155쪽**

사자성어

거두절미	어떤 일의 가장 중요하고 중심이 되는 사실만 간단히 말함.	**99쪽**
격세지감	오래지 않은 동안에 몰라보게 변하여 아주 다른 세상이 된 것 같은 느낌.	**39쪽**
견원지간	개와 원숭이의 사이라는 뜻으로, 사이가 매우 나쁜 두 관계를 비유적으로 이르는 말.	**163쪽**
관포지교	관중과 포숙의 사귐이란 뜻으로, 우정이 아주 많고 깊은 친구 관계를 이르는 말.	**163쪽**
금시초문	바로 지금 처음으로 들었다는 뜻.	**99쪽**
금의환향	비단옷을 입고 고향에 돌아온다는 뜻으로, 출세하여 고향에 돌아가거나 돌아옴을 비유적으로 이르는 말.	**33쪽**
독야청청	남들이 모두 의지를 꺾는 상황 속에서도 홀로 결심을 굳세게 지키고 있음을 비유적으로 이르는 말.	**105쪽**

등고자비	무슨 일이나 그 일의 시작이 중요하다는 말.	**63쪽**
마이동풍	남의 말을 귀담아듣지 않고 지나쳐 흘려버리는 모습을 이르는 말.	**157쪽**
무위자연	사람의 힘을 더하지 않은 그대로의 자연을 이르는 말.	**151쪽**
박학다식	배워서 얻은 것이나 보고 들은 것이 넓고 아는 것이 많음을 이르는 말.	**39쪽**
산천초목	산과 시내와 풀과 나무라는 뜻으로, '자연'을 이르는 말.	**145쪽**
삼고초려	뛰어난 인재를 맞아들이기 위하여 참을성 있게 노력함.	**123쪽**
설상가상	눈 위에 서리가 덮인다는 뜻으로, 곤란한 일이나 불행한 일이 잇따라 일어남을 이르는 말.	**21쪽**
수어지교	아주 친밀하여 떨어질 수 없는 사이를 비유적으로 이르는 말.	**111쪽**
이구동성	입은 다르나 목소리는 같다는 뜻으로, 여러 사람의 말이 한결같음을 이르는 말.	**139쪽**
일석이조	한 가지 일을 해서 두 가지 이익을 얻음을 이르는 말.	**117쪽**
일희일비	한편으로는 기뻐하고 한편으로는 슬퍼함. 또는 기쁨과 슬픔이 번갈아 일어남.	**75쪽**
장족지세	매우 빠른 속도로 수준이 나아지거나 높아지는 상태를 이르는 말.	**63쪽**
제정일치	제사와 정치가 일치한다는 사상. 또는 그런 정치 형태. 고대 사회에서 흔히 볼 수 있음.	**81쪽**
질풍노도	몹시 빠르게 부는 바람과 무섭게 소용돌이치는 물결.	**157쪽**
천고마비	하늘이 맑아 높푸르게 보이고 온갖 곡식이 익는 가을철을 이르는 말.	**21쪽**
천석고황	자연의 아름다운 경치를 몹시 사랑하고 즐기는 성질이나 버릇.	**151쪽**
청산유수	푸른 산에 흐르는 맑은 물이라는 뜻으로, 막힘없이 썩 잘하는 말을 비유적으로 이르는 말.	**139쪽**
청풍명월	맑은 바람과 밝은 달.	**145쪽**
파죽지세	대나무를 쪼개듯이, 적을 거침없이 물리치고 쳐들어가는 기세를 이르는 말.	**105쪽**
형설지공	고생을 하면서 부지런하고 꾸준하게 공부하는 자세를 이르는 말.	**111쪽**
호가호위	다른 사람의 힘을 빌려 허세를 부림.	**123쪽**
호시탐탐	남의 것을 빼앗기 위하여 일이 되어 가는 형편을 살피며 가만히 기회를 엿봄. 또는 그런 모양.	**117쪽**
호의호식	좋은 옷을 입고 좋은 음식을 먹음. 유의어▶ 금의옥식	**33쪽**
홍익인간	'널리 인간을 이롭게 한다'라는 뜻.	**81쪽**
희로애락	기쁨과 노여움, 슬픔과 즐거움이라는 뜻으로, 곧 사람의 여러 가지 감정을 이르는 말.	**75쪽**

관용 표현

가는 말이 고와야 오는 말이 곱다	자기가 남에게 말이나 행동을 좋게 하여야 남도 자기에게 좋게 한다는 말.	**138쪽**
가루는 칠수록 고와지고 말은 할수록 거칠어진다	말을 삼가라는 말.	**138쪽**
강물도 쓰면 준다	풍부하다고 하여 함부로 헤프게 쓰지 말라는 말.	**150쪽**
같은 값이면 다홍치마	값이 같거나 같은 노력을 한다면 품질이 좋은 것을 고른다는 말.	**32쪽**
고양이 앞에 쥐걸음	무서운 사람 앞에서 설설 기면서 꼼짝 못 한다는 말.	**62쪽**
고양이한테 생선을 맡기다	어떤 일을 믿지 못할 사람에게 맡겨 놓고 걱정함을 이르는 말.	**116쪽**
구렁이 담 넘어가듯	일을 분명하게 처리하지 않고 얼버무리는 모양을 이르는 말.	**110쪽**
금강산도 식후경	아무리 재미있는 일이라도 배가 불러야 흥이 남을 비유적으로 이르는 말.	**68쪽**
김 안 나는 숭늉이 더 뜨겁다	가만히 침묵을 지키고 있는 사람이 더 무섭고 야무지다는 말.	**26쪽**
김이 식다	재미나 하고 싶은 마음이 없어지다.	**27쪽**
꼬리를 드러내다	진실된 본디의 모습을 알리거나 밝히다.	**15쪽**
다 된 농사에 낫 들고 덤빈다	일이 다 끝난 뒤에 쓸데없이 나타나 그 일에 끼어들어 아는 체하거나 이래라저래라 하고 옳고 그름을 따지는 말다툼을 하고 다닌다는 말.	**80쪽**

닭 잡아먹고 오리 발 내놓기	옳지 못한 일을 해 놓고, 속여 넘기려 하는 일을 이르는 말.	116쪽
동에 번쩍 서에 번쩍	정한 곳이 없고 머물거나 떠난 것을 알 수 없을 만큼 왔다 갔다 함.	14쪽
될성부른 나무는 떡잎부터 알아본다	잘 될 사람은 어려서부터 남달리 크게 될 가능성이 엿보인다는 말.	104쪽
뛰어야 벼룩	도망쳐 보아야 크게 벗어날 수 없다는 말.	56쪽
마른하늘에 날벼락	뜻하지 아니한 상황에서 뜻밖에 입는 재난을 이르는 말.	20쪽
마파람에 게 눈 감추듯	빨리 먹어 버리는 모습을 비유적으로 이르는 말.	156쪽
말이 말을 만든다	말은 사람의 입을 거치는 동안 그 내용이 과장되고 변한다는 말.	98쪽
말이 씨가 된다	늘 말하던 것이 마침내 사실대로 되었을 때를 이르는 말.	98쪽
맨발 벗고 나서다	적극적으로 나서다.	57쪽
미꾸라지 한 마리가 온 웅덩이를 흐려 놓는다	한 사람의 좋지 않은 행동이 그 집단 전체나 여러 사람에게 나쁜 영향을 미침을 비유적으로 이르는 말.	150쪽
바람 앞의 등불	매우 위태로운 처지에 놓여 있음을 비유적으로 이르는 말.	156쪽
밥 먹듯 하다	보통 일처럼 아무렇지도 않게 자주 하다.	69쪽
벼룩의 간을 내먹는다	어려운 처지에 있는 사람에게 이익을 얻으려는 모습을 이르는 말.	110쪽
비 온 뒤에 땅이 굳어진다	어떤 어려움이나 슬픔을 겪은 뒤에 더 강해진다는 말.	20쪽
사또 덕분에 나팔 분다	남의 덕으로 당치도 않은 행세를 하거나 우쭐대는 모양을 이르는 말.	122쪽
산엘 가야 꿩을 잡고 바다엘 가야 고기를 잡는다	목적과 방향을 제대로 잡아 노력해야 이룰 수 있음을 이르는 말.	144쪽
새끼를 치다	수효나 가치를 늘어나게 하거나 덧붙여 불어나게 하다.	69쪽
서리가 앉다(내리다)	머리카락이 하얗게 세다.	27쪽
선무당이 사람 잡는다	능력이 없어서 제구실을 못하면서 함부로 하다가 큰일을 저지르게 된다.	80쪽
손바닥으로 하늘 가리기	불리한 상황에 대하여, 그때그때 상황에 맞추어 행동함을 이르는 말.	56쪽
실마리를 잡다	문제 해결 방향으로 이끌어 가는 일의 첫부분을 가지게 되다.	15쪽
십 년이면 강산도 변한다	십 년이라는 세월이 흐르는 동안에는 세상에 변하지 않는 것이 없이 다 변하게 된다는 말.	38쪽
썩어도 준치	본래 좋고 훌륭한 것은 비록 상해도 그 본디부터 가지고 있는 성질이나 모습에는 변함이 없음을 비유적으로 이르는 말.	68쪽
열 번 찍어 아니 넘어가는 나무 없다	어려워 보이는 일도 여러 번 시도하면 이루어진다는 말.	104쪽
옷깃만 스쳐도 인연이라	살면서 겪게 되는 사람들과의 만남을 소중하게 여겨야 한다는 말.	32쪽
일손을 떼다	하던 일을 그만두다. 하던 일을 끝내다.	57쪽
자기 배 부르면 남의 배 고픈 줄 모른다	자기와 환경이나 조건이 다른 사람의 사정을 이해하기가 어려움을 이르는 말.	162쪽
잘되면 제 탓 못되면 조상 탓	일이 안될 때 그 책임을 남에게 돌리는 태도를 비유적으로 이르는 말.	162쪽
지렁이도 밟으면 꿈틀한다	좋은 사람도 너무 낮추어 보거나 하찮게 여기면 가만있지 아니한다는 말.	74쪽
참는 자에게 복이 있다	꾹 참고 견디는 것이 가장 좋은 방법이나 수단임을 이르는 말.	74쪽
천 리 길도 한 걸음부터	무슨 일이나 그 일의 시작이 중요하다는 말.	62쪽
콩 심은 데 콩 나고 팥 심은 데 팥 난다	모든 일은 근본(원인)에 따라 거기에 걸맞은 결과가 나타난다.	14쪽
평안 감사도 저 싫으면 그만이다	좋은 일이라도 당사자의 마음이 내키지 않으면 억지로 시킬 수 없음.	122쪽
풀 끝의 이슬	인생이 풀 끝의 이슬처럼 덧없고 허무함을 비유적으로 이르는 말.	26쪽
하늘을 보아야 별을 따지	어떤 성과를 거두려면 그에 상당한 노력과 준비가 있어야 된다는 말.	38쪽
하늘의 별 따기	무엇을 얻거나 성취하기가 매우 어려운 경우를 비유적으로 이르는 말.	144쪽

매일매일 쌓이는 국어 기초력

똑똑한 하루

독해&어휘&글쓰기

공부 습관 형성

10분이면 하루치 공부를 마칠 수
있어서 아이들 스스로 쉽게
학습할 수 있도록 구성

국어 기초력 향상

어휘는 물론 독해에서 글쓰기까지
초등 국어 전 영역을 책임지는
완벽한 커리큘럼으로 국어 기초력 향상

재미있는 놀이 학습

꼭 필요한 상식과 함께
창의적 사고력 확장을 돕는
게임 형식의 구성으로 즐겁게 학습

쉽다! 재미있다! 똑똑하다! 똑똑한 하루 시리즈
예비초~6학년 각 A·B (14권)

똑똑한
하루
어휘

똑 똑 한

5~6학년

정답과 풀이

5 단계
B
5~6학년

정답과 해설
포인트 3가지

▶ 혼자서도 이해할 수 있는 친절한 어휘 풀이

▶ 배운 어휘는 물론 참고 어휘, 보충 어휘까지 자세한 해설

▶ 비슷한말, 반대말, 포함 어휘까지 관계 어휘를 풍부하게 제시

1주에는 무엇을 공부할까?

1 ③

2 (1) 셔츠, 저고리, 블라우스 (2) 긴 코트

3 ②

4 이준

1일 교과 어휘>국어

1 (1) 추론 (2) 사건 (3) 배경　　**2** 실마리

3 ❶ 갈등 ❷ 해결　　**4** ③

5 ③　　**6** (1) ② (2) ①　　**7** (2) ○

1 (1) '추론'은 이미 아는 정보를 근거로 삼아 다른 판단을 이끌어 내는 것입니다.

2 일이나 사건을 풀어 나갈 수 있는 첫머리는 '실마리'입니다.

3 갈등이 없어지고 문제가 해결되는 소설의 마지막 단계는 결말입니다.

4 앞으로 일어날 일에 대하여 실마리가 되는 것을 넌지시 알려 주는 것이 복선입니다.

5 홍길동은 동에 번쩍 서에 번쩍 하였습니다.

〈속담의 뜻〉

① 시작이 반이다: 무슨 일이든 시작하기가 어렵지 일단 시작하면 일을 끝마치기는 그리 어렵지 않다.

② 땅 짚고 헤엄치기: 아주 하기 쉽다.

④ 백지장도 맞들면 낫다: 쉬운 일이라도 도와서 하면 훨씬 쉽다.

⑤ 우물을 파도 한 우물을 파라: 어떤 일이든 한 가지 일을 끝까지 하여야 성공할 수 있다.

6 (2) '꼬리를 드러내다'는 '진실된 본디의 모습을 알리거나 밝히다.'라는 뜻입니다.

2일 생활 어휘

1 태풍　　**2** 여우비　　**3** (1) ③ (2) ④

(3) ② (4) ①　　**4** ⑤　　**5** ⑤

6 ⑤　　**7** ①

1 태풍은 피해를 주기도 하지만 물 부족 현상을 없애 주고, 바닷물을 뒤섞어 적조 현상을 없애 주는 좋은 점도 있습니다.

2 여우비는 볕이 나 있는 날 잠깐 오다가 그치는 비입니다.

3 폭염과 열대야는 한여름에 주로 나타납니다.

4 '폭염'과 '폭설'에 쓰인 '폭(暴)'에는 '정도가 지나치다'라는 뜻이 담겨 있습니다.

5 리마 선수에게 좋지 않은 일이 잇따라 일어났습니다.

〈사자성어의 뜻〉

① 임기응변(臨機應變): 그때그때 처한 사태에 맞추어 즉각 그 자리에서 결정하거나 처리함.

② 표리부동(表裏不同): 겉으로 드러나는 말이나 행동과 속으로 가지는 생각이 다름.

③ 좌불안석(坐不安席): 불안하거나 걱정스러워서 어찌할 바를 모름.

7 ①은 말, ②는 호랑이, ③은 개, ④는 고양이, ⑤는 소를 뜻하는 한자입니다.

3일 교과 어휘 > 과학

1 습기　　**2** 기화　　**3** (1) 안개 (2) 습도
(3) 서리 (4) 수증기　　**4** 김
5 ④　　**6** ①　　**7** 서리
8 김이 식었어

1 생활에서 습기를 조절하기 위해 사용하는 물질로
는 실리카 젤이나 염화 칼슘으로 만든 건조제 등
이 있습니다.

2 액체가 기체로 변화는 현상을 기화라고 합니다.
증발과 끓음은 기화 현상의 하나입니다.

3 (1) 안개는 공기 중에 수증기가 많은 강이나 호수
주변에서 많이 생깁니다.

4 '김'은 소리는 같지만 뜻은 다른 동형어입니다.

5 〈속담의 뜻〉
① 숭늉에 물 탄 격: 음식이나 사람이 매우 싱겁
거나 아무런 재미가 없다.
② 고생을 밥 먹듯 하다: 자꾸만 고생을 하게 된다.
③ 우물에 가 숭늉 찾는다: 일의 순서도 모르고
성급하게 덤빈다.
⑤ 물에 빠져도 정신을 차려야 산다: 아무리 어렵
더라도 정신을 차리고 용기를 내면 살 방법이
있다.

6 '풀을 베면 뿌리를 없이하라'는 '무슨 일이든 하려
면 철저히 하여야 한다.'라는 뜻입니다.

8 '손발이 맞다'는 '함께 일을 하는 데에 마음이나
의견, 행동 방식 따위가 서로 맞다.'라는 뜻입니다.

4일 생활 어휘

1 ⑤　　**2** 깁다　　**3** (1) 깃 (2) 고름
(3) 소매　　**4** 대님　　**5** ⑤
6 ③　　**7** (1) ○　　**8** 옷깃

1 ⑤는 '날씨가 따뜻해지면서 웃옷을 전혀 입지 않
게 되었다.'가 알맞습니다.

2 '깁다'를 넣어야 뜻이 통합니다.

3 한복 각 부분의 이름을 생각해 봅니다.

4 남자들만 한복을 입을 때 대님을 사용합니다.

5 〈사자성어의 뜻〉
① 견리사의(見利思義): 눈앞의 이익을 보면 의
리를 먼저 생각함.
② 녹의홍상(綠衣紅裳): 연두저고리와 다홍치마.
곱게 차려입은 젊은 여자의 옷차림.
③ 백의종군(白衣從軍): 벼슬 없이 군대를 따라
싸움터로 감.
④ 금의야행(錦衣夜行): 비단옷을 입고 밤길을
다닌다는 뜻으로, 자랑삼아 하지 않으면 생색
이 나지 않는다.

6 〈사자성어의 뜻〉
① 고진감래(苦盡甘來): 고생 끝에 즐거움이 옴.
② 전전긍긍(戰戰兢兢): 몹시 두려워서 벌벌 떨
며 조심함.
④ 대기만성(大器晩成): 크게 될 사람은 늦게 이
루어짐.
⑤ 일거양득(一擧兩得): 한 가지 일을 하여 두 가
지 이익을 얻음.

7 '값도 모르고 싸다 한다'는 일의 속사정은 잘 알지
도 못하면서 경솔하게 이러니저러니 말할 때에
씁니다.

1 ④
2 (1) ① (2) ③ (3) ②
3 산업 혁명
4 지역 이기주의
5 ③
6 하늘, 별
7 ⑤
8 (2) ○

1 ④는 '콜럼버스의 신대륙 발견에 대해서는 여러 의견이 있다.'가 알맞습니다.

2 낱말을 넣었을 때 문장의 흐름이 자연스러운 것을 찾습니다.

3 산업 혁명 때 증기 기관을 각종 생산 기계의 동력원으로 이용하면서 대량 생산 체제로 변화하였습니다.

4 지역 이기주의로 지역 갈등이 생기기도 합니다.

5 〈속담의 뜻〉
　① 십년공부 도로 아미타불: 오랫동안 공들여 해 온 일이 헛일이 됨.

② 십 년 가는 거짓말 없다: 거짓말은 금방 들통이 남.
④ 십 년 묵은 체증이 내리다: 어떤 일로 인하여 더할 나위 없이 속이 후련하여짐.
⑤ 돌도 십 년을 보고 있으면 구멍이 뚫린다: 무슨 일이나 정성을 들여 애써 하면 안 되는 것이 없음.

7 〈사자성어의 뜻〉
② 감언이설(甘言利說): 귀가 솔깃하도록 남의 비위를 맞추거나 이로운 조건을 내세워 꾀는 말.
③ 십년감수(十年減壽): 수명이 십 년이나 줄 정도로 위험한 고비를 겪음.
④ 감지덕지(感之德之): 분에 넘치는 듯싶어 매우 고맙게 여기는 모양.

8 "낫 놓고 기역 자도 모른다"라는 속담은 무식한 사람에게 쓰는 말입니다.

---

1 (1) ③ (2) ② (3) ① 　　　　　　**2** (3) ○
3 홍수 　　　**4** ① 　　　**5** 수증기
6 ㉢ 　　　**7** ⑤ 　　　**8** 衣
9 ③ 　　　**10** (1) ○

1 사건이나 인물의 말과 행동 등으로 갈등을 파악할 수 있습니다.

2 (1) 누워서 침 뱉기: 자기에게 해가 돌아올 짓을 함.

3 홍수가 발생하면 농작물, 땅, 집, 가축 등이 물에 잠기거나 떠내려갑니다.

4 雪(눈 설)과 霜(서리 상) 자입니다.

5 물이 끓어서 밖으로 나오면 수증기가 되는데 수증기가 밖의 찬 공기와 만나면 김이 되어서 우리 눈에 보이는 것입니다.

6 '서리가 앉다'는 '머리카락이 하얗게 되다.'라는 뜻입니다.

7 ① 섶: 저고리나 두루마기 따위의 깃 아래쪽에 달린 길쭉한 헝겊.

8 보기에 주어진 한자는 각각 '義(옳을 의)', '衣(옷 의)', '意(뜻 의)'입니다.

9 ② 발달: 보다 높은 수준에 이름.
④ 발생: 어떤 일이나 사물이 생겨남.
⑤ 발표: 세상에 널리 드러내어 알림.

10 세월이 흐르면 모든 것이 다 변한다는 뜻의 속담은 '십 년이면 강산도 변한다'입니다.

1주 특강 사고 쑥쑥

1

❶폭	염		❷장		❸습	기
설			대		도	
	❹여	우	비			
				❺홍		
		❻서		❼수	증	❽기
❾실	마	리				화

2

번호	관용 표현이나 사자성어	상황
❻	콩 심은 데 콩 나고 팥 심은 데 팥 난다	열심히 공부한 친구가 시험에서 좋은 성적을 받았을 때
❸	금의환향	우리나라 선수들이 올림픽에서 좋은 성과를 거두고 돌아왔을 때
❽	격세지감	어렸을 때 살았던 곳에 어른이 되어서 가 보았는데 몰라볼 정도로 변해 있을 때

→ 알맞은 것은 위 세 개이고 버스 번호는 큰 수부터 늘어놓으라고 하였으므로 버스 번호는 '❽❻❸'입니다.

1주 특강 논리 탄탄

1

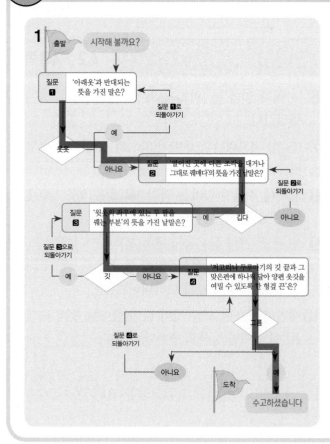

2

(지민)

2주에는 무엇을 공부할까?

1 사람

2 ③

3 주원

4 ③

1일 교과 어휘>국어

1 (1) 어근 (2) 접사 (3) 동사	**2** ①	
3 주어	**4** (3) ○	**5** ①
6 (1) ○	**7** ①	**8** 맨발

1 (2) '애-'는 접두사로 '어린' 또는 '작은'의 뜻을 더하는 말입니다.

2 '복숭아'는 단일어이고 나머지는 복합어입니다.

3 주어에 대한 설명입니다.

4 '좋아하다'는 동사로 '어찌하다'에 해당하는 말입니다. 서술어로 문장에서 꼭 필요한 성분입니다.

5 〈속담의 뜻〉

② 벼룩의 간을 내먹는다: 어려운 처지에 있는 사람에게서 돈이나 물건을 억지로 가져가다.

③ 뛰면 벼룩이요 날면 파리: 벼룩과 파리가 가장 귀찮고 미운 존재이듯, 제 뜻에 맞지 않는 자는 무슨 짓을 하나 밉게만 보인다는 말.

④ 벼룩 꿇어앉을 땅도 없다: 빈틈이라고는 조금도 없이 비좁다. 논밭이라고는 조금도 없다.

⑤ 뛰는 토끼 잡으려다 잡은 토끼 놓친다: 일을 자꾸 벌여만 놓다가 이미 이루어 놓은 것도 못 쓰게 만든다.

2일 생활 어휘

1 헛걸음	**2** 재다	**3** ⑤
4 (1) ③ (2) ② (3) ①		**5** ③
6 ④	**7** ②	**8** ②

1 헛걸음은 목적을 이루지 못하고 헛수고만 하고 가거나 온다는 뜻입니다.

2 '재다'는 동작이 재빠르다라는 뜻입니다.

3 '어기적어기적'은 천천히 걷는 모양을 뜻하는데 ⑤번과 같은 바쁜 상황에서 '어기적어기적'은 알맞지 않습니다.

5 〈사자성어의 뜻〉

① 언중유골(言中有骨): 예사로운 말 속에 단단한 속뜻이 들어 있다.

② 십시일반(十匙一飯): 여러 사람이 조금씩 힘을 합하면 한 사람을 돕기 쉽다.

④ 허송세월(虛送歲月): 하는 일 없이 세월만 헛되이 보내다.

⑤ 우왕좌왕(右往左往): 이리저리 왔다 갔다 하며 일이나 나아가는 방향을 헤아리지 못하다.

6 〈사자성어의 뜻〉

① 적반하장(賊反荷杖): 잘못한 사람이 아무 잘못도 없는 사람을 나무람.

② 자수성가(自手成家): 물려받은 재산이 없이 자기 혼자의 힘으로 집안을 일으키고 재산을 모음.

③ 일거양득(一擧兩得): 한 가지 일을 하여 두 가지 이익을 얻음.

⑤ 결초보은(結草報恩): 죽은 뒤에라도 은혜를 잊지 않고 갚음.

3일 교과 어휘 > 과학

1 양식	**2** (1) ① (2) ③ (3) ②	
3 ④	**4** 발효	**5** ④
6 ②	**7** 밥	**8** 새끼

1 지식이나 물질, 생각 따위의 근본이나 원인이 되는 것을 비유적으로 이르는 말도 '양식'입니다.

2 낱말의 뜻을 파악하여 알맞은 것을 찾습니다.

3 ④ 멸종 위기 조류의 자연 번식 가능성이 커지고 있다.

4 발효에 대한 설명입니다.

5 '썩어도 준치'는 본래 좋고 훌륭한 것은 비록 상해도 그 본디부터 가지고 있는 성질이나 모습에는 변함이 없다는 뜻입니다.

6 〈속담의 뜻〉
① 산 넘어 산이다: 갈수록 더욱 어려운 지경에 처하게 되다.
③ 산에서 물고기 잡기: 도저히 불가능한 일을 하려는 어리석음.
④ 산이 높아야 골이 깊다: 품은 뜻이 높고 커야 품은 계획이나 희망, 생각도 크고 깊다.
⑤ 산도 허물고 바다도 메울 기세: 그 어떤 어려운 일도 해내려는 왕성한 기세.

7 보통 일처럼 아무렇지 않게 자주 하다는 뜻의 관용어는 '밥 먹듯 하다'입니다.

8 '늘이나다'라는 뜻을 가진 관용어는 '새끼를 치다'입니다.

4일 생활 어휘

1 실망	**2** ⑤	**3** (1) ② (2) ①
4 쩍	**5** ⑤	**6** ②
7 (2) ○	**8** ①	

2 ⑤ 그는 큰 부자가 된 후에 심난했던 어린 시절을 생각하며 눈물을 흘렸다.

4 '멋적다'라고 쓰지 않도록 주의합니다.

5 〈사자성어의 뜻〉
① 군계일학(群鷄一鶴): 많은 사람 가운데서 뛰어난 인물.
② 동고동락(同苦同樂): 괴로움도 즐거움도 함께 함.
③ 애걸복걸(哀乞伏乞): 소원 따위를 들어 달라고 애처롭게 사정하며 간절히 빎.
④ 노발대발(怒發大發): 몹시 노하여 펄펄 뛰며 성을 냄.

6 〈속담의 뜻〉
① 개천에서 용 난다: 시원찮은 환경이나 변변찮은 부모에게서 빼어난 인물이 나다.
③ 원숭이도 나무에서 떨어진다: 아무리 익숙하고 잘하는 사람이라도 간혹 실수할 때가 있다.
④ 못된 송아지 엉덩이에 뿔 난다: 옳지 못하거나 보잘것없는 것이 엇나가는 짓만 한다.
⑤ 미꾸라지 한 마리가 온 웅덩이를 흐려 놓는다: 한 사람의 좋지 않은 행동이 그 집단 전체나 여러 사람에게 나쁜 영향을 미친다.

7 〈속담의 뜻〉
(1) 벽에도 귀가 있다: 비밀은 없기 때문에 경솔하게 말하지 말아야 한다.
(3) 복 들어온 날 문 닫는다: 좋은 기회가 왔을 때 도리어 방해하는 행동을 한다.

1 환웅	2 (1) ③ (2) ② (3) ①
3 토테미즘	4 ① 　　　　　5 ①
6 (3) ○	7 홍익인간 　　8 ①

1 환웅은 단군왕검의 아버지입니다.

2 ① 환인은 환웅의 아버지입니다.

3 단군 신화에서 환웅이 웅녀와 결혼하였다는 것은 하늘을 숭배하는 부족과 곰을 숭배하는 부족의 결합을 뜻합니다.

4 단군 신화에서 환웅이 바람, 비, 구름을 다스리는 신을 데리고 내려왔다는 것은 그 시대에 농사를 지었다는 것을 알 수 있게 합니다. 농경 사회에서는 가축을 길렀습니다.

5 〈속담의 뜻〉
② 굿이나 보고 떡이나 먹지: 남의 일에 쓸데없는 간섭을 하지 말고 되어 가는 형편을 보고 있다

가 이익이나 얻도록 해라.
③ 선무당이 장구만 나무란다: 자기 기술이나 능력이 부족한 것은 생각하지 않고 애매한 도구나 조건만 가지고 나쁘다고 탓한다.
④ 떡도 먹어 본 사람이 먹는다: 어떤 일이든 해 본 사람이 더 잘하게 마련이다.
⑤ 떡 줄 사람은 꿈도 안 꾸는데 김칫국부터 마신다: 해 줄 사람은 생각지도 않는데 미리부터 다 된 일로 알고 행동한다.

8 〈낱말의 뜻〉
② 선민사상: 한 사회에서 남달리 특별한 혜택을 받고 잘사는 소수의 사람들이 가지는 우월감
③ 제천 의식: 하늘을 숭배하고 제사 지내는 원시 종교 의식
④ 세습 정치: 정치 지도자의 자리를 대대로 물려주는 것

1 맨	2 (1) ○	3 ③
4 (1) ① (2) ②	5 발효	6 나은
7		8 (2) ○
		9 단군왕검
		10 (1) 제정일치
		(2) 홍익인간
		(3) 토테미즘

7:
	실
원	망

1 '맨-'은 '다른 것이 없는'의 뜻을 더하는 접두사입니다.

2 〈속담의 뜻〉
(2) 꿩 먹고 알 먹기: 한 가지 일을 하여 두 가지 이상의 이익을 보게 된다.

3 ③ 친구는 보폭이 넓어서 나보다 빠르다.

5 김치, 간장, 된장, 치즈 등은 발효 식품입니다.

6 이준: 금강산도 식후경이라고 일단 밥을 먹고 모둠 수행 평가 준비를 하자.
진우: 썩어도 준치라고 그 수영 선수의 기록이 좋아.
시현: 아버지께서 주식 투자한 돈이 새끼를 쳤다며 좋아하셨어.

7 세로에는 '실망'이, 가로에는 '원망'이 들어갑니다.

8 〈속담의 뜻〉
(1) 소 잃고 외양간 고친다: 일이 이미 잘못된 뒤에는 손을 써도 소용이 없다.
(3) 낫 놓고 기역 자도 모른다: 사람이 글자를 모르거나 아주 무식하다.

9 단군왕검이 고조선을 세운 것을 기념하기 위해서 10월 3일을 개천절로 정하였습니다.

10 (1) '단군'은 하늘에 제사를 지내는 제사장이라는 뜻이고, '왕검'은 정치 지배자의 뜻을 담고 있습니다.

2주 특강 사고 쑥쑥

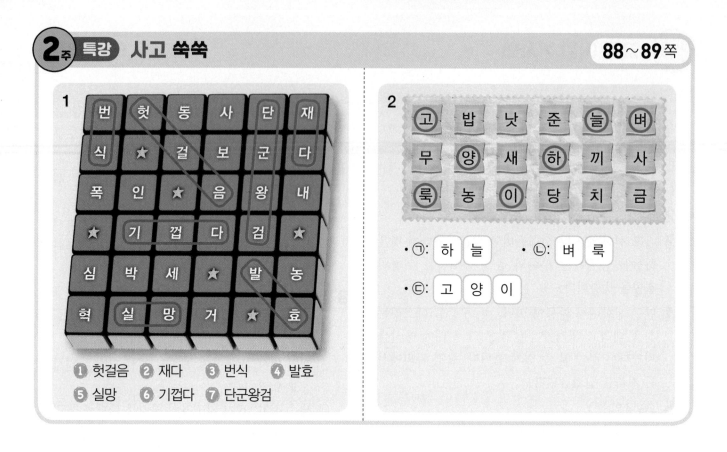

1

번	헛	동	사	단	재
식	★	걸	보	군	다
폭	인	★	음	왕	내
★	기	껍	다	검	★
심	박	세	★	발	농
혁	실	망	거	★	효

① 헛걸음 ② 재다 ③ 번식 ④ 발효
⑤ 실망 ⑥ 기껍다 ⑦ 단군왕검

2

고	밥	낫	준	늘	벼
무	양	새	하	끼	사
룩	농	이	당	치	금

· ㉠: 하 늘   · ㉡: 벼 룩
· ㉢: 고 양 이

2주 특강 논리 탄탄

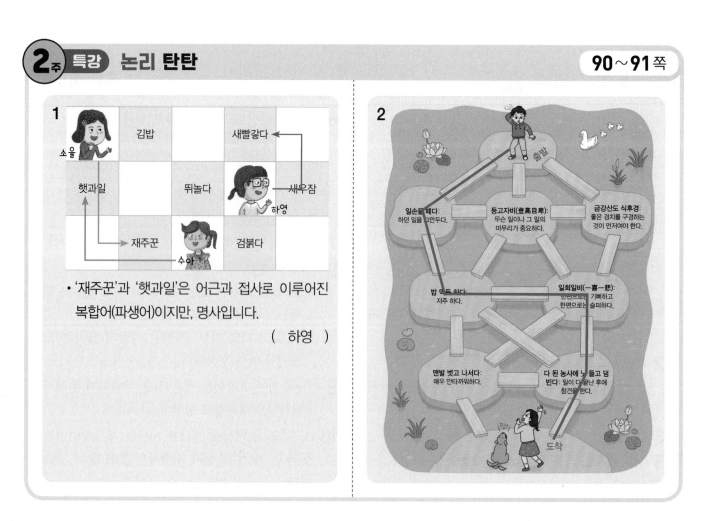

1

소율	김밥		새빨갛다 ←
햇과일		뛰놀다	새우잠
	재주꾼	검붉다	하영
		수아	

· '재주꾼'과 '햇과일'은 어근과 접사로 이루어진 복합어(파생어)이지만, 명사입니다.

(하영)

2

일손을 떼다: 하던 일을 그만두다.

등고자비(登高自卑): 무슨 일이나 그 일의 마무리가 중요하다.

금강산도 식후경: 좋은 경치를 구경하는 것이 먼저여야 한다.

밥 먹듯 하다: 자주 하다.

일희일비(一喜一悲): 한편으로는 기뻐하고 한편으로는 슬퍼하다.

맨발 벗고 나서다: 매우 안타까워하다.

다 된 농사에 낫 들고 덤빈다: 일이 다 끝난 후에 참견을 한다.

3주에는 무엇을 공부할까?

1 옷
2 공생

3 암행어사
4 ①

1일 교과 어휘 > 국어

1 (1) ② (2) ① (3) ③　　　2 (1) 비교 (2) 예시
(3) 개요　　　3 (3) ○　　　4 ①
5 (1) ○　　　6 거두절미

1 (1) '정의'는 어떤 말이나 사물의 뜻을 명백히 밝혀 정한다는 뜻입니다.
(3) '분석'은 하나의 대상을 각각의 부분으로 나누어 설명하는 방법을 말합니다.

2 (1) 비교: 두 가지 이상의 대상에서 공통점을 찾아 설명하는 방법.
(2) 예시: 어떤 대상에 대해 예를 들어 설명하는 방법.
(3) 개요: 간결하게 추려 낸 주요 내용.

3 자전거와 오토바이는 비교와 대조의 방법을 사용하여 설명하기에 알맞은 대상입니다.

4 서동의 노래가 입에서 입으로 전해져서 선화 공주에 대한 소문이 사람들 사이에 퍼졌으므로, 이와 관련하여 '말이 말을 만든다'라는 속담을 떠올릴 수 있습니다. 말이 사람의 입을 거치는 동안 내용이 변한다는 뜻입니다.

5 '말이 씨가 된다'는 속담은 늘 말하던 것이 사실대로 되었을 때를 뜻하는 말입니다.

6 '거두절미'는 머리와 꼬리를 떼고 중심을 이야기한다는 말로, 어떤 일의 요점만 간단히 말하는 것을 뜻합니다.

2일 생활 어휘

1 ②　　　2 ③　　　3 (1) ② (2) ①
4 (2) ×　　　5 파죽지세　　　6 ④
7 ⑤

1 건축물이나 기구 따위를 만드는 데 쓰는 나무는 '재목'입니다.

2 '산림'은 산과 숲, 또는 산에 있는 숲을 뜻하는 낱말입니다. ③에 어울리는 낱말은 '땔감'으로, 불을 피우는 데 쓰는 나무 등의 재료를 뜻합니다.

3 (2) 침엽수: 식물의 잎이 뾰족한 모양인 나무의 종류.

4 (2) '벌목'은 산이나 숲의 나무를 베는 것을 뜻하는 말입니다. 무분별한 벌목은 산림을 파괴할 수 있으므로 지양해야 합니다.

5 군사들의 사기가 대나무를 쪼개는 것과 같은 기세라고 하였으므로, 관련된 사자성어로 '파죽지세'를 떠올릴 수 있습니다. 적을 거침없이 물리치고 쳐들어가는 기세를 뜻하는 말입니다.

6 '될성부른 나무는 떡잎부터 알아본다'는 잘 될 사람은 어려서부터 남달리 크게 성공할 가능성이 엿보인다는 뜻이므로, ④의 상황에 어울리는 속담입니다.

7 '열 번 찍어 아니 넘어가는 나무 없다'는 속담은 어려워 보이는 일도 여러 번 시도하면 이루어진다는 뜻입니다.

3일 교과 어휘 > 과학

112~113쪽

1 광합성	**2** ②	**3** 가연
4 공생	**5** ②	**6** ⑤
7 수어지교		

1 '광합성'이란 식물이 빛 에너지를 이용하여 흡수된 이산화 탄소와 수분을 양분과 산소로 바꾸는 작용입니다.

2 눈으로 볼 수 없는 아주 작은 생물을 '미생물'이라고 합니다. 미생물의 종류에는 세균, 효모 등이 있습니다.

3 '먹이 사슬'은 생태계에서 생물들끼리 먹고 먹히는 것을 중심으로 형성된 관계를 말합니다. 서로 다른 생물이 함께 생활하며 한쪽은 이익을 얻고 다른 쪽은 해를 입는 관계는 '기생'입니다.

4 '공생'은 서로 다른 종류의 생물이 같은 곳에서 살며 서로에게 이익을 주면서 함께 사는 일을 뜻합니다. 악어새와 악어, 말미잘과 흰동가리는 공생 관계에 있는 생물입니다.

5 반딧불이와 눈을 이용하여 책을 읽었던 차윤과 손강의 이야기를 통해 '형설지공'이라는 사자성어를 떠올릴 수 있습니다. 고생을 하면서 부지런히 꾸준하게 공부하는 자세를 뜻하는 말입니다.

6 '벼룩의 간을 내먹는다'라는 속담은 어려운 처지에 있는 사람에게서 조그만 이익이라도 얻어 내려고 하는 모습을 이르는 말입니다.

7 물과 물고기처럼 아주 진밀하여 떨어질 수 없는 사이를 비유적으로 이르는 사자성어는 '수어지교' 입니다.

4일 생활 어휘

118~119쪽

1 (1) 짐승 (2) 까치발	**2** 반려동물
3 ❶ 변이 ❷ 성질	**4** ②
5 일석이조 **6** ④	**7** 호시탐탐
8 ①	

1 (1) 몸에 털이 나고 발이 네 개인 동물은 '짐승'입니다.
(2) 발뒤꿈치를 든 발로, 주로 높은 곳에 잘 닿지 않는 모습을 표현할 때 사용하는 말은 '까치발'입니다.

2 사람이 정서적으로 의지하고자 가까이 두고 기르는 동물은 '반려동물'입니다.

3 '변종'은 같은 종류의 생물 가운데 변이가 생겨서 성질과 형태가 달라진 종류를 말합니다.

4 '가축'은 집에서 기르는 동물로 사람들의 생활에 유용한 동물을 통틀어 이르는 말입니다. 주로 축산물, 유제품 등을 얻을 수 있습니다.

5 변장자가 힘들이지 않고 한꺼번에 호랑이 두 마리를 잡을 수 있었으므로, 이와 관련하여 '일석이조'라는 사자성어를 떠올릴 수 있습니다. 한 가지 일을 해서 두 가지 이익을 얻는다는 뜻입니다.

6 친구의 책을 가지고 있으면서도 모른 척하고 있으므로, '닭 잡아먹고 오리 발 내놓기'라는 속담과 어울리는 상황입니다. '닭 잡아먹고 오리 발 내놓기'는 옳지 못한 일을 저질러 놓고, 엉뚱한 수작으로 속여 넘기려 하는 일을 비유적으로 이르는 말입니다.

7 '호시탐탐'은 남의 것을 빼앗기 위하여 일이 되어 가는 형편을 살피며 가만히 기회를 엿보는 모양을 뜻하는 말입니다.

8 빈칸에 알맞은 낱말은 '고양이'입니다. '고양이한테 생선을 맡기다'라는 속담은 고양이에게 생선을 맡기면 그 생선을 먹을 것이 뻔한 일이란 뜻으로, 어떤 일이나 사물을 믿지 못할 사람에게 맡겨 놓고 마음이 놓이지 않아 걱정하는 모습을 비유적으로 이르는 말입니다.

1 (1) ② (2) ③ (3) ④ (4) ①　　**2** ㉢

3 (1) 권위 (2) 세력 (3) 세력

4 ㉠　　　　**5** 삼고초려　　**6** (2) ○

7 나팔　　　**8** ①, ④

1 (1) 양반 : 지배층을 이루던 신분.
　(3) 천민: 가장 지위가 낮고 천한 대우를 받던 백성.

2 '암행어사'는 임금의 특별한 임명을 받아 비밀리에 지방 관리들의 비리를 밝혔던 관리입니다. 백성의 어려움을 살펴서 개선하는 일을 하였습니다.

3 (1) 사회적으로 인정을 받고 영향력을 끼칠 수 있는 위엄을 뜻하는 말은 '권위'입니다.
　(2) 권력이나 기세의 힘을 뜻하는 말은 '세력'입니다.

4 '탐관오리'는 백성들의 자산을 탐내어 빼앗는 행실이 깨끗하지 못한 관리입니다. 변 사또는 사또로서 해야할 일을 하지 않고 백성을 괴롭혔던 관리이므로 탐관오리에 속하는 인물입니다.

5 유비가 포기하지 않고 세 번째로 제갈량의 집을 찾아간 것을 볼 때, '삼고초려'라는 사자성어를 떠올릴 수 있습니다. 뛰어난 인재를 맞아들이기 위하여 참을성 있게 노력한다는 뜻을 나타내는 말입니다.

6 '평안 감사도 저 싫으면 그만이다'라는 속담은 아무리 좋은 일이라도 당사자의 마음이 내키지 않으면 억지로 시킬 수 없다는 뜻입니다.

7 남의 덕으로 대접을 받고 우쭐대는 모양을 비유적으로 이르는 말은 '사또 덕분에 나팔 분다'입니다.

8 '호가호위'는 여우가 호랑이의 힘을 빌려 거들먹거리듯이 다른 사람의 힘을 빌려 허세를 부리는 모습을 비유적으로 이르는 사자성어입니다. 따라서 관련 있는 동물은 여우와 호랑이입니다.

---

1 비교　　　　**2** (1) ② (2) ① (3) ③

3 ⑤　　　　　**4** ③

5 (1) 벌목 (2) 땔감 (3) 재목　　**6** 기생

7 ②　　　　　**8** ④　　　　**9** ④

10 암행어사

1 두 가지 이상의 대상에서 공통점을 찾아 설명하는 방법은 '비교'입니다.

2 (1) 요점: 중심이 되는 사실이나 관점.

3 어릴 때부터 남달리 크게 될 가능성이 엿보이는 사람을 가리키는 말로 '될성부른 나무는 떡잎부터 알아본다'라는 속담을 씁니다.

4 식물의 잎이 넓은 나무의 종류를 '활엽수'라고 합니다.

5 (3) 어떤 일을 할 수 있는 능력을 가졌거나 어떤

직위에 합당한 인물은 '재목'입니다.

6 서로 다른 종류의 생물이 함께 생활하며 한쪽이 이익을 얻고 다른 쪽이 해를 입는 관계는 '기생'입니다.

7 엽록체는 둥근 모양의 작은 구조물입니다.

> ㉣ 공생: 서로 다른 종류의 생물이 함께 생활하며, 서로에게 이익을 주는 일.

8 남의 것을 빼앗기 위해 가만히 기회를 엿보는 모습을 가리키는 사자성어는 '호시탐탐'입니다.

9 '상민'은 양반이 아닌 보통 백성입니다. 행실이 깨끗하지 못한 관리는 '탐관오리'입니다.

10 임금의 특별한 명령을 받아 백성의 어려움을 살피고 개선하는 일을 했던 관리는 '암행어사'입니다.

3주 특강 사고 쑥쑥

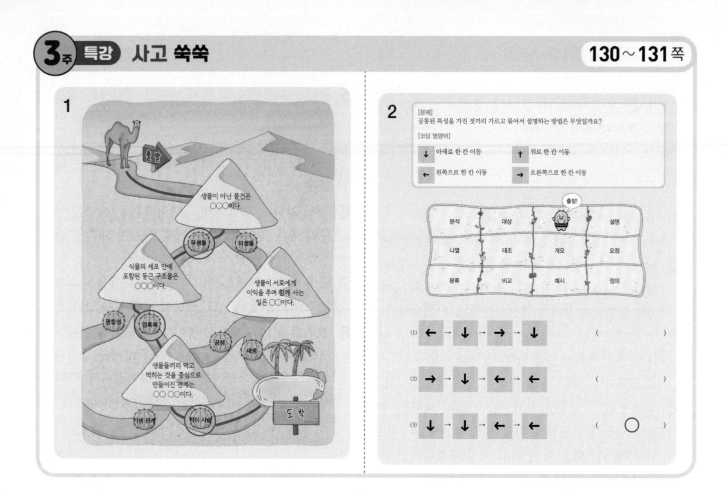

4주에는 무엇을 공부할까?

134~135쪽

1 표정	**3** 황소바람
2 비료	**4** ③

1일 교과 어휘 > 국어

140~141쪽

1 공감	**2** ③	**3** 현진
4 ①	**5** ④	**6** ①
7 오는 말이 곱다		

1 '공감'은 다른 사람의 감정이나 의견, 주장 등에 대하여 자기도 그렇다고 느끼는 기분을 의미합니다.

2 다른 사람과 토의할 만한 의견을 내놓는 것을 '제안'이라고 합니다.

3 '조언'은 다른 사람을 말로 깨우쳐 주어서 돕는 것, '충고'는 남의 부족한 점이나 잘못을 진심으로 타이르는 것을 말합니다.

4 '표정'은 마음속에 품은 감정이나 정서 등의 심리 상태가 겉으로 드러나는 모습을 뜻합니다.

5 서희가 소손녕을 설득하여 거란의 80만 대군을 돌려보냈으므로, 이와 관련하여 '청산유수'라는 사자성어를 떠올릴 수 있습니다. 막힘없이 말을 잘하는 모습을 가리키는 말입니다.

6 '이구동성'은 입은 다르나 목소리는 같다는 뜻으로 여러 사람의 말이 한결같음을 이르는 말입니다.

7 '가는 말이 고와야 오는 말이 곱다'는 속담은 자기가 남에게 말이나 행동을 좋게 하여야 남도 자기에게 좋게 한다는 뜻입니다.

2일 생활 어휘

146~147쪽

1 (1) 토양 (2) 썰물	**2** ①
3 (1) 그늘 (2) 햇볕 (3) 햇볕	
4 ❶ 표면 ❷ 기체	**5** 청풍명월
6 ⑤	**7** 하늘의 별 따기

1 (2) '썰물'은 해수면이 낮아져 바닷물이 바다 방향으로 빠지는 현상을 가리킵니다.

2 '호수'는 땅이 움푹 들어가 연못이나 늪보다 깊고 넓게 물이 고여 있는 곳을 말합니다.

3 (1) '햇볕'은 해가 강하게 내리쬐는 기운입니다.

5 초가집의 반 칸에는 맑은 바람이 머물고 반 칸에는 밝은 달빛이 가득 찬다는 내용으로 보아, 이와 관련된 사자성어로 '청풍명월'을 떠올릴 수 있습니다. 맑은 바람과 밝은 달을 뜻하는 말입니다.

6 '산엘 가야 꿩을 잡고 바다엘 가야 고기를 잡는다'는 속담은 목적하는 방향을 제대로 잡아 노력하여야만 그 목적을 제대로 이룰 수 있음을 비유적으로 가리키는 말입니다.

〈속담의 뜻〉

① 등잔 밑이 어둡다: 대상에서 가까이 있는 사람이 도리어 대상에 대하여 잘 알기 어렵다는 말

② 미운 아이 떡 하나 더 준다: 미울수록 더 정답게 대해야 미워하는 마음이 사라진다는 말

③ 원숭이도 나무에서 떨어진다: 아무리 잘하는 사람이라도 실수할 때가 있음을 비유적으로 이르는 말

④ 호랑이에게 물려 가도 정신만 차리면 산다: 아무리 위급한 경우를 당하더라도 정신만 똑똑히 차리면 위기를 벗어날 수 있다는 말

3일 교과 어휘 > 과학

1 (1) ② (2) ③ (3) ①   2 ㉡
3 (1) 농약 (2) 비료 (3) 농약   4 미세 먼지
5 미꾸라지 한 마리가 온 웅덩이를 흐려 놓는다
6 (1) ○   7 천석고황

1 (1) 스모그: 공장 등에서 생긴 연기가 안개와 같이 된 상태.
  (3) 오수: 무언가를 씻거나 빨거나 하여 더러워진 물.

2 황사는 오늘날에도 흔히 볼 수 있는 현상입니다.

3 (1) '농약'은 농작물에 해로운 벌레 따위를 없애거나 농작물이 잘 자라게 하는 약품입니다.
  (2) '비료'는 토지에 뿌리는 영양 물질입니다.

4 '미세 먼지'는 눈에 보이지 않을 정도로 입자가 작은 먼지입니다. 미세 먼지 농도가 나쁜 날에는 마스크를 사용해야 합니다.

5 다른 새들의 깃털을 몸에 꽂았다가 부끄러움을 당한 까마귀에게 다른 까마귀들이 한 말을 보아, '미꾸라지 한 마리가 온 웅덩이를 흐려 놓는다'라는 속담을 떠올릴 수 있습니다. 한 사람의 좋지 않은 행동이 그 집단 전체에게 나쁜 영향을 미치는 것을 비유적으로 이르는 말입니다.

6 풍부하다고 하여 함부로 헤프게 쓰지 말라는 뜻의 속담은 '강물도 쓰면 준다'입니다.
  〈속담의 뜻〉
  (2) 작은 고추가 더 맵다: 몸집이 작은 사람이 큰 사람보다 재주가 뛰어나고 야무짐을 비유적으로 이르는 말
  (3) 벼 이삭은 익을수록 고개를 숙인다: 지식과 품위를 쌓은 사람일수록 겸손하고 남 앞에서 자기를 내세우려 하지 않는다는 것을 비유적으로 이르는 말

4일 생활 어휘

1 계절풍   2 (1) 신바람 (2) 황소바람
3 ①   4 ④   5 ⑤
6 (1) ○   7 질풍노도

1 계절에 따라 주기적으로 일정한 방향으로 부는 바람은 '계절풍'입니다.

3 천, 종이, 머리카락 따위의 가벼운 물체가 바람을 받아서 가볍게 흔들리는 것을 '나부끼다'라고 합니다.

4 그림과 관련 있는 낱말은 '황소바람'으로 좁은 틈으로 세게 불어 드는 바람을 말합니다.

5 바람이 아무리 말의 귀를 스쳐도 말은 아무것도 느끼지 못한다는 이백의 말을 통해, '마이동풍'이라는 사자성어를 떠올릴 수 있습니다. 남의 말을 귀담아듣지 않고 지나쳐 흘려버리는 모습을 가리키는 말입니다.

〈사자성어의 뜻〉
① 오리무중: 오 리(약 2킬로미터)나 되는 짙은 안개 속에 있다는 뜻으로, 무슨 일에 대하여 방향이나 갈피를 잡을 수 없음을 이르는 말
② 소탐대실: 작은 것을 탐하다가 큰 것을 잃음
③ 백발백중: 백 번 쏘아 백 번 맞힌다는 뜻으로, 총이나 활 따위를 쏠 때마다 겨눈 곳에 다 맞음을 이르는 말
④ 자초지종: 처음부터 끝까지의 과정

6 '마파람에 게 눈 감추듯'이라는 속담은 어느 결에 먹었는지 모를 만큼 빨리 먹어 버리는 모양을 비유적으로 이르는 말입니다.

7 '질풍노도'는 몹시 빠르게 부는 바람과 무섭게 소용돌이치는 물결을 가리키는 사자성어입니다. 변화가 심하고 불안한 청소년기를 가리킬 때에도 사용합니다.

1 ① **2** ③ **3** (1) ② (2) ①
4 (3) × **5** 관포지교 **6** ①
7 ⑤

1 다른 사람을 좋게 생각하여 주는 마음은 '호의'입니다.

2 '덕'은 다른 사람이 베풀어 준 은혜나 도움을 가리킵니다. ①은 '처지', ②는 '상황', ④는 '탓', ⑤는 '원한'입니다.

3 (1) 부당하다: 이치에 맞지 않다.
(2) 공정하다: 공평하고 올바르다.

4 (3) '악의'는 나쁜 마음이나 좋지 않은 뜻을 가리킵니다.

5 관중의 말에서 포숙아와의 우정이 드러나 있는 것으로 보아, '관포지교'라는 사자성어를 떠올릴 수 있습니다. 우정이 많고 깊은 친구 관계를 가리키는 말입니다.

6 '견원지간'은 개와 원숭이의 사이처럼 사이가 매우 나쁜 관계를 비유적으로 이르는 말입니다. 동생과 자주 다투는 상황과 어울리는 사자성어입니다.

7 자신과 환경이나 조건이 다른 사람의 사정을 이해하기 어렵다는 뜻의 속담은 '자기 배 부르면 남의 배 고픈 줄 모른다'입니다.
〈속담의 뜻〉
① 목구멍이 포도청: 먹고살기 위하여 해서는 안 되는 행동까지 할 지경에 이르렀음을 뜻하는 말
② 다람쥐 쳇바퀴 돌듯: 앞으로 나아가지 못하고 제자리걸음만 하는 모습을 이르는 말

---

1 (1) 공감 (2) 표정 (3) 제안 **2** ②
3 ④ **4** 하늘 **5** ④
6 ⑤ **7** (1) ② (2) ④ (3) ③ (4) ①
8 ⑤ **9** (1) ○ (2) × (3) ○
10 견원지간

1 (3) 의견을 내놓는 것을 '제안'이라고 합니다.

2 '청산유수'는 막힘없이 썩 잘하는 말을 뜻합니다.

3 바닷물이 육지 방향으로 들어오는 현상을 '밀물'이라고 합니다.

4 무언가를 얻거나 성취하기가 매우 어려운 경우를 가리키는 속담은 '하늘의 별 따기'입니다.

5 자동차의 배기가스나 공장에서 내뿜는 연기가 안개와 같이 된 상태를 '스모그'라고 합니다.

6 한 사람의 좋지 않은 행동이 그 집단 전체나 여러 사람에게 나쁜 영향을 미치는 것을 비유적으로 가리키는 속담은 '미꾸라지 한 마리가 온 웅덩이를 흐려 놓는다'입니다.

7 (1) '신바람'은 신이 나서 우쭐우쭐해지는 기운입니다.
(2) '콧바람'은 코로 내보내는 바람 기운, 또는 그 소리를 말합니다.
(3) '황소바람'은 좁은 틈으로 세게 불어 드는 바람입니다.
(4) '하늬바람'은 서쪽에서 부는 바람을 가리킵니다.

8 '마파람에 게 눈 감추듯'이라는 속담은 어느 결에 먹었는지 모를 만큼 빨리 먹어버리는 모양을 가리킵니다.

9 '호의'는 친절한 마음씨나 좋게 생각하여 주는 마음입니다.

10 개와 원숭이처럼 사이가 매우 나쁜 관계를 가리키는 사자성어는 '견원지간'입니다.

4주 특강 논리 탄탄

1

보기
1. 오수는 무언가를 씻거나 빨 때 사용하여 더러워진 물이다.
2. 산성비에는 강한 알칼리성 물질이 들어 있다.
3. 스모그는 자동차의 배기가스와 관련이 없다.
4. 황사는 사막이나 황토 지대에 있던 모래와 관련된 현상이다.
5. 미세 먼지는 입자가 매우 작다.
6. 농약은 토지에 뿌리는 영양 물질이다.
7. 폐수는 공장이나 광장 등에서 사용된 후 버려지는 물이다.

2	6	2	1	3	2	3
3	2	6	5	4	3	2
6	3	6	7	1	5	6
2	3	2	5	2	6	3
6	5	5	4	7	1	6
3	7	1	7	5	4	2
6	2	4	5	1	2	6

2

버리 · 돌이 · 냥이 · 도기

좁은 틈으로 세게 불어드는 바람이야.

서쪽에서 부는 바람을 말해.

여름에는 바다에서 육지로, 겨울에는 육지에서 바다로 불어.

아열대 지방의 바람을 말해.

정답

냥이

매일 조금씩 **공부력** UP!

똑똑한 하루
시리즈

쉽다!

하루 10분, 주 5일 완성의
커리큘럼으로 쉽고 재미있게
초등 기초 학습능력 향상!

재미있다!

교과서는 물론, 생활 속에서 쉽게
접할 수 있는 다양한 소재를 활용해
아이 스스로도 재미있는 학습!

똑똑하다!

초등학생에게 꼭 필요한 상식과 함께
학습 만화, 게임, 퍼즐 등을 통한
'비주얼 학습'으로 스마트한 공부 시작!

더 새롭게! 더 다양하게! 전과목 시리즈로 돌아온 '똑똑한 하루'

*순차 출시 예정

국어 (예비초 ~ 초6)

예비초~초6 각 A·B
교재별 14권

예비초: 예비초 A·B
초1~초6: 1A~4C
14권

영어 (예비초 ~ 초6)

초3~초6 Level 1A~4B
8권

Starter A·B
1A~3B
8권

수학 (예비초 ~ 초6)

초1~초6 1·2학기
12권

예비초~초6 각 A·B
14권

초1~초6 각 A·B
12권

봄·여름
가을·겨울 (초1~초2)

봄·여름·가을·겨울
2권 / 8권

안전 (초1~초2)

초1~초2
2권

사회·과학 (초3~초6)

학기별 구성
사회·과학 각 8권

정답은
이안에
있어!

똑똑한

하루
어휘

배움으로 행복한 내일을 꿈꾸는
천재교육 커뮤니티 안내

· · · ·

 교재 안내부터 구매까지 한 번에!
천재교육 홈페이지

천재교육 홈페이지에서는 자사가 발행하는 참고서,
교과서에 대한 소개는 물론 도서 구매도 할 수 있습니다.
회원에게 지급되는 별을 모아 다양한 상품 응모에도
도전해 보세요.

 구독, 좋아요는 필수! 핵유용 정보 가득한
천재교육 유튜브 <천재TV>

신간에 대한 자세한 정보가 궁금하세요?
참고서를 어떻게 활용해야 할지 고민인가요?
공부 외 다양한 고민을 해결해 줄 채널이 필요한가요?
학생들에게 꼭 필요한 콘텐츠로 가득한 천재TV로 놀러 오세요!

 다양한 교육 꿀팁에 깜짝 이벤트는 덤!
천재교육 인스타그램

천재교육의 새롭고 중요한 소식을 가장 먼저 접하고 싶다면?
천재교육 인스타그램 팔로우가 필수!
누구보다 빠르고 재미있게 천재교육의 소식을 전달합니다.
깜짝 이벤트도 수시로 진행되니 놓치지 마세요!